a chave de casa

tatiana salem levy *a chave de casa*

4ª edição

EDITORA RECORD
RIO DE JANEIRO • SÃO PAULO
2009

CIP-BRASIL. CATALOGAÇÃO-NA-FONTE
SINDICATO NACIONAL DOS EDITORES DE LIVROS, RJ

L65c
4.ed. Levy, Tatiana Salem, 1979-
A chave de casa / Tatiana Salem Levy. 4.ed. - Rio de Janeiro : Record, 2009.
ISBN 978-85-01-07927-5

1. Romance brasileiro. I. Título.

07 3905. CDD: 869.93
CDU: 821.134.3(81)-3

Capa: Victor Burton

Texto revisado segundo o Novo Acordo Ortográfico da Língua Portuguesa.

Rua Argentina 171, Rio de Janeiro, RJ – 20921-380 – Tel.: 2585-2000

Impresso no Brasil

ISBN 978-85-01-07927-5

PEDIDOS PELO REEMBOLSO POSTAL
Caixa Postal 23.052 – Rio de Janeiro, RJ – 20922-970

À minha irmã, Dina, com amor

Dizem que o tempo ameniza.
Isto é faltar com a verdade.
Dor real se fortalece
Como os músculos, com a idade.

É um teste no sofrimento
Mas não o debelaria.
Se o tempo fosse remédio
Nenhum mal existiria.

Emily Dickinson
Tradução de Idelma Ribeiro de Faria

Escrevo com as mãos atadas. Na concretude imóvel do meu quarto, de onde não saio há longo tempo. Escrevo sem poder escrever e: por isso escrevo. De resto, não saberia o que fazer com este corpo que, desde a sua chegada ao mundo, não consegue sair do lugar. Porque eu já nasci velha, numa cadeira de rodas, com as pernas enguiçadas, os braços ressequidos. Nasci com cheiro de terra úmida, o bafo de tempos antigos sobre o meu dorso. Por mais estranho que isso possa parecer, a verdade é que nasci com os pés na cova. Não falo de aparência física, mas de um peso que carrego nas costas, um peso que me endurece os ombros e me torce o pescoço, que me deixa dias a fio — às vezes um, dois meses — com a cabeça no mesmo lugar. Um peso que não é de todo meu, pois já nasci com ele. Como se toda vez em que digo "eu" estivesse dizendo "nós". Nunca falo sozinha, falo sempre na companhia desse sopro que me segue desde o primeiro dia.

Um sopro que me paralisa. Uma espécie de fardo. Pesado. Mais do que isso: bruto, acimentado, capaz de me tirar todas as possibilidades de movimento, amarrando as articulações uma à outra, colando todos os espaços vazios do meu corpo. Não que eu seja uma pessoa triste. Não se trata de ser ou não ser feliz, mas de uma herança que trago comigo e da qual quero me livrar. Nem que para isso tenha de correr riscos sem medida, nem que para isso tenha de me desfazer de tudo o que construí até hoje, de tudo o que acreditei ser a minha vida. Estou num ponto em que preciso mudar a direção do barco, ou então serei capturada pelo olhar de Medusa e me tornarei pedra, lançada ao mar.

No entanto, as palavras ainda me escapam, a história ainda não existe. Enquanto os músculos pesam e permanecem, o sentido se esvai. Quem sabe aos poucos, quando conseguir dar os primeiros passos, quando conseguir me libertar do fardo, não consiga também dar nome às coisas? E por isso, só por isso escrevo.

[Você não imagina o alívio que acabo de sentir. Há quanto tempo está esparramada nessa cama, inamovível? Há quanto tempo lhe peço para se levantar?] Não sei, desconheço a resposta. Pode ser uma semana, um mês, um ano, ou mesmo uma vida. Sinto-me às vezes um bloco de cimento, às vezes uma nuvem diluída, não percebo sequer a minha forma, os meus contornos. Quero sair do lugar, mas ainda duvido se é essa a melhor escolha. [Não desanime. No início de uma partida, não existem escolhas melhores ou piores, apenas escolhas. É cedo para um julgamento.] Mas e se errar? Se me afundar ainda mais nesse poço de imprecisão e incerteza? Que garantia tenho de que não tropeçarei em mim mesma? [Não posso lhe garantir nada. Só posso prometer uma coisa: arrisque-se, e estarei sempre pronta a lhe estender a mão.]

Para escrever esta história, tenho de sair de onde estou, fazer uma longa viagem por lugares que não conheço, terras onde nunca pisei. Uma viagem de volta, ainda que eu não tenha saído de lugar algum. Não sei se conseguirei realizá-la, se algum dia sairei do meu próprio quarto, mas a urgência existe. Meu corpo já não suporta tanto peso: tornei-me um casulo pétreo. Tenho o rosto abatido, olheiras muito mais velhas do que eu. Minhas bochechas pendem, ouvindo o chamado da terra. Meus dentes mal conseguem mastigar. Sinto um incômodo abissal, como se a gravidade agisse com mais intensidade sobre mim, puxando duas vezes meu corpo para baixo.

Não tenho a mais ínfima ideia do que me aguarda nesse caminho que escolhi. Da mesma forma, não sei se faço a coisa certa. Muito menos se existe alguma lógica, alguma explicação admissível para essa empreitada. Mas ando em busca de um sentido, de um nome, de um corpo. E por isso farei essa viagem de volta, para ver se não os esqueci perdidos por aí, em algum lugar ignoto.

Sem me levantar, pego a caixinha na mesa de cabeceira. Dentro dela, em meio a pó, bilhetes velhos, moedas e brincos, descansa a chave que ganhei do meu avô. Tome, ele disse, essa é a chave da casa onde morei na Turquia. Olhei-o com expressão de desentendimento. Agora, deitada na cama com a chave nas mãos, sozinha, continuo sem entender. E o que vou fazer com ela? Você é quem sabe, ele respondeu, como se não tivesse nada a ver com isso. As pessoas vão ficando velhas e, com medo da morte, passam aos outros aquilo que deveriam ter feito mas, por motivos diversos, não fizeram.

E agora cabe a mim inventar que destino dar a essa chave, se não quiser passá-la adiante.

Você escondeu o quanto pôde, evitou a palavra até onde foi possível. Você assegurou-me de que não morreria doente. De que não morreria. Você assegurou-se disso, agarrou-se a essa certeza que criara para si, mas também para mim. Eu acreditei, você não morreria. Assim podíamos viver tranquilas: criávamos o nosso mundo, o nosso mundo sem morte, e nele vivíamos. Assim não tínhamos com o que nos preocupar: criávamos as nossas certezas, e vivíamos sem dúvidas. Acompanhei a sua fantasia, entrei com você no jogo. Evitávamos juntas a palavra e seguíamos adiante.

Você escondeu o quanto pôde, até o dia em que não pôde mais. No princípio, simplesmente recuávamos o olhar do seu ventre crescendo, do seu pescoço inchando, mas com o tempo fomos obrigadas a ver o que não queríamos. Você tinha uma barriga de grávida, embora não houvesse bebê algum. Gânglios espalhados pelo pescoço, embaixo do braço, na virilha. Cansava-se com pouco. Enjoava. Vomitava sangue. Era a realidade querendo vencer a nossa fantasia: não podíamos mais viver no nosso mundo, estavam nos chamando. A palavra que não queríamos dizer exigia ser dita, pronunciada pausadamente, com todas as letras. Nosso pacto caía por terra.

Você estava sentada no sofá com ar de derrota quando me aproximei e sussurrei em seu ouvido: não faz mal.

Se tiver de mudar de mundo, iremos juntas. Não importa aonde for, faremos outro pacto e, se mais tarde for preciso, outro, e depois outro e outro e outro. Faremos quantos pactos forem necessários, mudaremos de mundo quantas vezes nos exigirem, mas uma coisa é certa: minhas mãos estarão sempre coladas às suas.

Não faço outra coisa senão olhar, tocar, observar a chave. Conheço seus detalhes de cor, o tamanho preciso de suas curvas e de sua argola, seu peso, sua cor gasta. Uma chave desse tamanho não deve abrir porta alguma. A essa altura já deveriam por certo ter mudado, se não a porta, certamente a fechadura. Seria um disparate acreditar que tanto tempo depois a chave da casa permaneceria a mesma. Tenho certeza de que até meu avô é consciente disso, mas também imagino que deva ter uma curiosidade enorme de saber se ainda está lá o que deixou para trás. Que coisa estranha, que coisa esquisita deve ser: largar o país, a língua, abandonar a família em direção a algo completamente novo e, sobretudo, incerto.

Ele me contou que o navio onde viajou era descomunal, seu primeiro e único navio. A embarcação estava abarrotada de pessoas, todas com a mesma esperança que ele: conseguir vida melhor em país diferente. Dos irmãos, foi o primeiro a vir, apenas duas malas na mão e alguns contatos no Brasil. Não tinha mais do que vinte anos quando deixou a Turquia. Tempos depois o irmão mais novo se juntaria a ele. A irmã gêmea faleceria de tuberculose. O irmão mais velho casaria e continuaria em Esmirna. A mãe, ele só reencontraria longos anos mais tarde, quando, viúva, decidiria se mudar para o Brasil.

Quantas vezes não ouvi essa mesma história? A dor de nunca mais ter visto o pai nem a irmã, de nunca mais ter pisado na terra que primeiro fora sua. A dor de só ter trazido a mãe a tempo de perdê-la. De ter visto tanta miséria no navio, tanta miséria na terra que deixara. Quantas vezes?

E agora o que ele quer? Que eu vá atrás da sua história, recuperar o seu passado? Por que essa chave, essa missão descabida?

[A história não é só dele, a vida nunca é de uma única pessoa. Se lhe entregou a chave, é porque acredita que ela faça parte da sua história. Você conhece o meu pai: nada para ele é sem razão. Ele poderia ter dado essa chave a mim ou a um dos meus irmãos, mas nunca o fez. Não conheci a Turquia e agora já não posso mais. Poucas vezes ouvi as histórias de sua vinda. Não estou querendo dizer que haja um destino, uma missão que só você possa cumprir. Você sabe, poucas pessoas são tão céticas quanto eu. Mas tampouco acho que possamos estar por aí a refutar o que nos oferecem. Quanto tempo faz que você está abandonada nessa cama? Talvez essa seja uma boa maneira de se mexer, sair do encarceramento desse quarto para ir a um país desconhecido. Acredite nessa história que seu avô lhe oferece: vá em busca de sua casa e tente abrir a porta. Reconte a história do seu avô, reconte a minha também: conte-as você mesma. Não tenha medo de nos trair. Tome essa possibilidade como uma chance de sair do lodo onde se soterrou. Mesmo que não dê em nada, que não ache casa alguma, que não reencontre a parte da família que lá ficou, não importa. Ao menos estará conhecendo novos — e tão antigos — ares.]

Ela parecia um embrulho negro quando veio se despedir do filho. Véu, vestido, sapatos, olheiras, boca, tudo azul de tão preto. Vestia-se como se fosse a um enterro. O pai, por sua vez, tinha o ar mais descontraído. Trazia no corpo uma roupa do dia a dia: camisa de linho abotoada até o pescoço e para dentro da calça. O cinto avermelhado não combinava com o sapato marrom. Tinha no rosto a expressão de mais um dia como outro qualquer, embora soubesse — e sentisse no peito — que se tratava de um dia diferente. Era como se a casa toda soubesse, mas não o dissesse: os pais, os irmãos, mas também o teto, as paredes, a louça por lavar, a sala arrumada, as almofadas laranja em seu exato lugar no sofá, uma em cada assento, a lâmpada do abajur acesa, os quartos ainda escuros, tudo e todos carregavam nesse dia uma dor muda, um medo mudo, uma ansiedade muda. Era o silêncio que pesava, pedindo a alguém que parte: por favor, fique. Formavam uma fila por ordem de tamanho: primeiro o menino pequeno, depois a menina — sua irmã gêmea —, depois o irmão mais velho, depois, quebrando a ordem, o pai, o mais alto de todos, e, finalmente, a mãe. A porta ainda estava fechada e, por isso, era pouca a luminosidade dentro da casa. Apenas o abajur aceso e um feixe de luz amarelada, muito sutil, que entrava pela janela da cozinha. Já deviam estar em pé à sua espera havia alguns minutos. Não trocavam nenhum olhar, não se falavam. Hirtos, miravam à frente, em direção à parede da sala de estar.

Quando ele entrou na sala, vindo do quarto, não se assustou com a família ao lado da porta, apenas entendeu que era chegada a hora. Carregava uma mala em cada mão e um sobretudo no braço direito. Olhou, atento, ao seu redor, como se pretendesse registrar na memória toda a constituição da casa, o lugar de cada objeto. Tinha medo de esquecer. Afinal, não era esse o motivo de sua partida, mas a necessidade de tentar uma vida nova, em algum lugar em que pudesse florescer. Havia também o exército: se não deixasse a Turquia, teria, como seu irmão mais velho, de servir. Por isso, ia rumo ao Brasil, onde tinha primos e amigos. Venha, a situação aqui é farta, temos inúmeras possibilidades de ganhar bem a vida, diziam todos. Venha, estão precisando de pessoas jovens e bem dispostas como você. Sim, eu vou, aguardem-me, estou chegando. Mãe, pai, vou-me embora, vou ao Brasil encontrar a minha sorte. No rosto dela, uma desilusão macerada. Desde então, não dirigiu mais a palavra ao filho, tampouco ao marido, como se fosse ele o culpado. Mal comia, mal dormia. Mas ele não vacilou, conhecia a mãe, não esperava reação mais branda. Por isso, estava lá, as malas na mão, pronto para se despedir.

Aproximou-se do pequeno e, repousando as malas no chão, segurou seus braços, levantando-o no ar. Eram doces as palavras que lhe dizia, como devem ser as palavras de um irmão mais velho. Com a menina não foi diferente, exceto por seu rosto em lágrimas que o fez chorar também. Só não podia desabar. Não podia ceder à dor, do contrário não seguiria seu caminho. O choro fazia parte de sua escolha. Em seguida, abraçou o irmão mais velho, e essa foi a sua vez de escutar conselhos. O mesmo fez o pai, mas com um tom severo. Que não desandasse, não cedesse ao pecado da carne nem da bebida, que trabalhasse como um bom membro da família e, sobretudo, não deixasse de enviar notícias.

Por último, o momento temido por ele e os outros, a despedida da mãe. Quase não se podia vê-la, enegrecida que estava pelo luto antecipado. Ele sentia no peito uma culpa imensa, uma culpa que carregaria viagem afora, vida afora. Como de praxe, ela carregava um embrulho nas mãos, mantimentos para a viagem. Quando ele se aproximou, ela lhe estendeu o embrulho. E foi só. Não lhe dirigiu o olhar, não fez menção de abrir a boca nem de gesticular. Como quem diz: pegue-o e vá embora, não quero prolongar esse momento. Ele compreendeu a sua vontade. Em silêncio, pegou o que lhe era destinado e abriu a porta. Já não pôde retornar o olhar, seu corpo o incitava a seguir adiante. Foi-se, deixando atrás de si a porta ainda aberta, a casa ainda em silêncio.

A mãe segurou então a maçaneta e, sem esforço, fechou a porta. Depois girou a chave na fechadura. O momento era inquietante, todos aguardavam a sua reação, certos de encontrar em seu semblante uma expressão sofrida, um choro, ainda que apenas anunciado. No entanto, ela fechou a porta e num relance foi acometida por uma espécie de certeza sem certeza. Em vez de chorar, em vez de sofrer, em vez de provocar condolência nos outros, sorriu: quem sabe não volte a vê-lo algum dia?

Não há nada que me angustie tanto quanto me despedir de alguém: tchau, adeus, au revoir, até breve, até nunca mais. Quando eu era pequena, quando mal sabia dar nome ao que sentia, você partia toda manhã. Como partem todos, de manhã cedo, depois do café. Sabia que voltaria à noite, mas e se não voltasse? Cada manhã, a mesma dor, o mesmo choro: por favor, não parta, não me deixe só, fique comigo, passe o dia comigo, venha à escola comigo, ao parque comigo, assista à televisão comigo, leia quadrinhos comigo, almoce comigo. Tenho que ir, você me dizia, mas à noite a gente se vê, acalme-se, está tudo bem. Você voltava, sempre voltou, cumpria a sua palavra. Mas na manhã seguinte a mesma dor: eu, na frente da porta, impedindo a sua passagem. Que não fosse, sentia que algo de ruim iria acontecer. Não acontecia, nunca acontecia. A dor era minha, só minha: o meu medo era a minha dor. [Eu só estava indo ao trabalho, não iria abandoná-la. De onde esse medo da separação? De onde essa dor precipitada? Não sabia como reagir diante do seu choro desesperado, desproporcional. Seu choro sem justificativa. Eu me perguntava se havia feito algo de errado, se a culpa era minha.] Com o tempo, compreendi que você tinha mesmo de partir, mas nunca deixei de sentir medo. Apenas me controlei, minha idade não permitia mais determinados comportamentos. Por dentro, tudo igual. Quando você saía, eu ia para o quarto e chorava baixinho, sozinha, escondendo as lágrimas até de mim mesma. Só não podia fechar os olhos, senão começava a imaginar tragédia atrás de tragédia. Por isso, ligava a música no volume máximo e começava a dançar. Dançava, dançava e dançava até ter a certeza de que o medo não estava mais lá.

Eu me lembro bem: você levava uns livros embaixo do braço, uma pasta de couro claro na mão. Passamos um pelo outro no corredor do sexto andar. Olhamos um nos olhos do outro. E desviamos o olhar acanhadamente, mas já capturados, presos ao que estava por vir. Não sei se você olhou para trás depois que saímos do mesmo horizonte. Eu estava aflita para ver o seu caminhar de costas, mas fui tomada por um formigamento e só continuei andando porque meu corpo me levava, mas a verdade é que estava paralisada, tomada por esse sentimento que, por mais que tente, não consigo nomear. Levou algum tempo para que nos encontrássemos de novo. Não sei quanto ao certo, mas em todo caso não o suficiente para tirar do meu corpo o formigamento, essa comichão que raras vezes nos atravessa a vida, nos pega de surpresa, mas nos dá sempre a impressão de que estava à espreita.

No térreo, em direção ao ponto de ônibus, arrastava os pés em ritmo compassado, como se estivesse dançando cantigas de infância, serelepe. Fazia tempo não sentia leveza tão porosa me acariciando o rosto, o corpo. E por tão pouco. Não precisava de mais nada, não precisava saber quem você era, com o que trabalhava, de onde vinha, se era comprometido. Tinha o rastro do seu olhar no meu antes de conhecer o seu nome, e isso me bastava.

Nasci no exílio: em Portugal, de onde séculos antes a minha família havia sido expulsa por ser judia. Em Portugal, que acolheu meus pais, expulsos do Brasil por serem comunistas. Demos a volta, fechamos o ciclo: de Portugal para a Turquia, da Turquia para o Brasil, do Brasil novamente para Portugal. Não teria sido menos penoso, menos amargo, se não tivéssemos sido obrigados a fazer esse longo percurso? Por que tivemos de sair de um lugar para voltar ao mesmo lugar?

Nasci no exílio, onde meus pais estavam sem querer estar. Nasci fora do meu país, no inverno, num dia frio e cinzento. Duas horas de contração sem poder parir, porque eu não tinha virado e a anestesista não estava lá. Penou, a minha mãe, para me ter. E, quando vim ao mundo, ela nem pôde me segurar nos braços, tinham-lhe dado anestesia geral. Pior: quando acordou, percebeu que lhe tinham feito um corte na vertical. Teria para sempre a cicatriz do meu nascimento, um traço reto e em relevo unindo o vão entre os seios ao púbis.

Nasci no exílio: e por isso sou assim: sem pátria, sem nome. Por isso sou sólida, áspera, bruta. Nasci longe de mim, fora da minha terra — mas, afinal, quem sou eu? Que terra é a minha?

[Lá vem você, narrando sob o prisma da dor. Não foi isso o que lhe contei. O exílio não é necessariamente sofrido. No nosso caso, não foi. Eu trabalhava como correspondente de uma revista no Brasil. Seu pai continuava no partido. Estávamos em Portugal: comendo bem, falando a nossa língua, conhecendo gente, trabalhando, nos divertindo. Seus avós vieram nos visitar, muita gente passou por lá. Viajávamos sempre: Paris, Florença, Madri, Atenas, Kiev. Sim, é verdade, a incerteza em relação ao futuro às vezes pesava: será que voltaremos um dia? Mas, responda-me, que futuro é certo? E, no fundo, sabíamos que a situação no Brasil mudaria, só não sabíamos quando. Não, minha menina, os acontecimentos não foram da maneira que você narra. Quando você nasceu, não estava frio nem cinzento. Não penei para parir. Não tomei anestesia nem tenho cicatriz, você nasceu de parto normal. Eu a peguei nos braços imediatamente. Você foi muito querida e desejada, a resposta de um exílio sem dor. Sempre lhe falei: quando veio a anistia, eu não queria voltar. Você era muito pequena, teria ficado ainda alguns anos por lá. Mas seu pai ainda acreditava no partido, nas mudanças possíveis. Então voltamos, para fazer a revolução. Não havia esse sofrimento de que você fala. Ao contrário, havia uma enorme vontade de viver.]

Eu estava com a passagem nas mãos e tinha poucos dias para arrumar a mala. Iria primeiro à Turquia, depois a Portugal. Como era verão, nem precisava me preocupar com roupas de frio. Em todo caso, arrumar mala é sempre uma mistura de alegria e angústia. Que bom, vou viajar, repetia para mim mesma. Logo em seguida me vinha um medo de que nada desse certo. E de repente voltava a alegria de partir. Passei os dias assim: pondo e tirando roupas da mala, no mesmo ritmo em que oscilavam meus sentimentos. Às vezes pensava que poderia ficar mais tempo do que o programado e saía colocando tudo quanto é tipo de roupa. Depois imaginava que não aguentaria nem cinco dias e tirava as roupas quase todas.

Nunca tinha viajado assim antes, com um objetivo a ser cumprido, mas depois de ouvir meu avô e pensar com meus botões acabei decidindo encarar o desafio. Mal ou bem, era uma possibilidade de encontrar algum sentido para as minhas dores e tentar me desfazer delas. Queria voltar a andar, encontrar o meu caminho. E me parecia lógico que se refizesse, no sentido inverso, o trajeto dos meus antepassados ficaria livre para encontrar o meu.

No dia da partida, tive de pedir ajuda para fechar a mala. Mesmo tendo feito rolinhos com as camisetas e esmagado bem as calças, as roupas transbordavam. Na dúvida, é sempre melhor pecar por excesso do que por escassez. Sentei em cima da mala enquanto um amigo me ajudava a puxar o fecho. Você vai se mudar para a Turquia ou para Portugal?, ele brincou. Nunca se sabe, respondi. Ainda ficamos algum tempo conversando, e ele se mostrava mais animado com a viagem do que eu. No final da tarde, o interfone tocou, avisando que o táxi estava na portaria. Descemos juntos, carregando a mala. Quando nos despedimos e entrei no carro, senti meu corpo tremer como se estivesse prestes a fazer algo que não suportaria.

Quando o médico entrou no quarto, trazia na mão um vidro com um objeto muito esquisito, molengo, quase tão grande quanto um melão. Ficamos olhando, aguardando que falasse algo. Ele sorriu, um sorriso que oscilava entre o sarcasmo e o contentamento, e anunciou: este é o seu baço. Isso aí?, você disse, espantada. E por que gostaria de vê-lo?, você continuou, mostrando-se enfezada com a ideia do médico. Ora, porque é o seu baço, ele respondeu, desapontado com a sua falta de vontade. Eu não conseguia tirar o olho do vidro, numa mistura de asco e fascinação. Estava vendo um órgão. Um órgão doente. Era o seu baço. E no entanto eu a olhava e você ainda estava lá, viva. Não precisava dele para continuar. Veja como estava enorme! Normalmente um baço mede cerca de doze centímetros, o seu tinha trinta. Você arregalou os olhos: tudo isso? O médico se aproximou com o vidro, mas você desviou o olhar. Chega, você disse, não insista. Ele saiu da sala decepcionado e voltou logo em seguida para explicar como tinha sido a operação e quais os procedimentos do pós-operatório. Eu não conseguia tirar os olhos do baço, mesmo quando ele não estava mais lá. Havia sangue seco em todo o seu entorno, e ele parecia mole e viscoso.

Um mês antes, o médico dera a notícia: será preciso operar. Seu baço está muito inchado, as células malignas proliferam cada vez mais, você não pode continuar assim. E como vou viver sem baço, doutor? Ora, qualquer um pode viver sem ele, é um órgão inútil. Se é inútil, por que o temos? O médico não respondeu à sua pergunta de menina curiosa, apenas marcou na agenda o hospital e a data da cirurgia. Saímos de lá com o corpo frio. Nunca fiz uma operação, você me disse, tenho medo. Calma, respondi. Não ouviu o que ele falou? Tudo indica que será uma operação bem simples, sem riscos. Enquanto falava, olhava para o seu ventre: uma bola enorme. Verá que depois se sentirá bem melhor. Eu sei, mas mesmo assim tenho medo, você insistiu. Você terá tempo para se acostumar com a ideia, para se preparar. Mas não dê às coisas um tamanho maior do que elas têm: confie nas palavras do médico, ele sabe o que faz. Se disse que você não precisa do baço, que a operação é simples e para o seu bem, acredite nisso. Quando chegamos ao carro, você suava. Quer que eu dirija? Por favor, você respondeu.

Foi um mês demorado, mais do que costumam ser os meses. Todos os dias pensávamos nisso, falávamos disso. O medo estava espalhado por todas as paredes da casa. A cada manhã a mesma angústia, uma vontade de que o tempo passasse logo, de que o tempo não passasse. Que dia é hoje?, você perguntava logo de manhã. Pare de se preocupar tanto, mãe, fique tranquila, vai dar certo, vai dar certo, eu repetia. E você respondia feito eco: é, vai dar certo, vai dar certo. Na verdade, nunca havia passado pela minha cabeça que a operação não correria bem. O médico tinha sido bastante otimista, havia explicado a simplicidade do procedimento, e eu realmente acreditara nele. Não fosse o medo estampado em seu rosto, nem pensaria nisso até o dia de ir para o hospital. [Eu sonhava todas as noites com o bisturi me cortando. Iriam arrancar um pedaço do meu corpo, e tinha medo de não conseguir viver sem ele. Tinha medo de que me cortassem no lugar errado, que não encontrassem meu baço, que tirassem outro órgão, que não conseguissem me fechar de novo.]

Era bem cedo, ainda de madrugada, quando saímos de casa. Você tinha de se internar com antecedência para começar a tomar os remédios e assegurar o jejum. Desde o corredor, já sentíamos o cheiro de geladeira, cheiro de hospital. Sua mão suava, mas quem a visse sem a tocar pensaria que estava tranquila. Sua irmã e meu pai chegaram um pouco depois de nós. Primeiro, vieram uma enfermeira e um enfermeiro: somos os responsáveis pela senhora. Furaram a sua veia de imediato e deixaram-na num soro, onde colocaram também alguns remédios. Ficamos conversando, tentando amenizar o ambiente, procurando dar ao dia um aspecto de normalidade. Minha tia falava do trabalho, meu pai das últimas notícias, e nós duas mais ouvíamos do que falávamos. Uma hora e meia depois, chegou o médico, com o mesmo sorriso que nos mostrou todas as outras vezes em que nos encontramos. Deu bom-dia e explicou que em quinze minutos você seria levada para a sala de operação. Ao todo, a cirurgia não deveria demorar mais do que uma hora, no máximo duas. Você quase nem assimilava o que ele dizia, o sedativo já começava a fazer efeito. Primeiro, vamos lhe aplicar uma anestesia geral, depois abriremos seu ventre para extrair o baço. Será tudo muito simples.

Quando você foi levada para a sala, deitada na maca, falava coisas quase sem sentido, como as pessoas que falam enquanto dormem. Fui segurando a sua mão até chegarmos à porta que eu não poderia atravessar. Doeu ter de deixá-la sozinha, mas continuava confiando nas palavras tranquilas do médico. Voltei para o quarto, onde ainda estavam meu pai e minha tia. Tínhamos uma expressão séria, aflita. Vamos descer, comer alguma coisa, disse o meu pai. Ficamos mais de uma hora num restaurante na mesma rua do hospital, falando de outras coisas que não você. Comíamos um prato de massa, um refrigerante e uma musse de chocolate enquanto o médico extraía seu baço. Pensávamos nisso o tempo todo, mas não falávamos nada. Acho melhor voltar, eu disse, talvez já tenha acabado. Quando chegamos ao hospital, demoramos para conseguir uma informação. Corria tudo bem, mas a operação demoraria um pouco mais do que o previsto.

Quase uma hora depois, senti o coração atravessar a garganta, quando os enfermeiros chegaram com você. Levantei-me apressada, precisava vê-la. Você estava deitada na maca, um lençol a cobria. Estava acordada, mas ainda sob o efeito sonolento da anestesia. Está tudo bem, mãe? Você me respondeu com um grunhido que não pude compreender. Desde que saiu da sala, ela pergunta por uma tal Vivi. Você se chama Vivi?, quis saber a enfermeira. Não, eu disse, assustada, com medo de você ter enlouquecido, de ter esquecido o meu nome. E me pus a repetir feito boba: mãe, sou eu, você não está me reconhecendo? E você dizia: Vivi. Eu, completamente tomada pela certeza da enfermeira de que Vivi era alguém, perguntei-lhe: quem é Vivi? Você não dizia mais nada, apenas repetia: vi-vi, vi-vi, vi-vi. Até que de repente entendi, você não chamava por ninguém, você falava consigo mesma, falava com o mundo. Foi só então que compreendi que seu medo era sem tamanho. Quando larguei sua mão e você entrou na sala, era isso o que sentia. Eu não tinha entendido nada, não tinha sentido esse medo. Nem passava pela minha cabeça que pudesse acontecer algo de tão grave, você iria apenas tirar o baço. Foi só quando percebi que Vivi não era ninguém que compreendi — pela primeira vez — que o medo que você tinha não era um medo qualquer: era o medo da morte.

Era o nosso primeiro chope, e eu já sabia o que me aguardava. Estávamos num boteco qualquer em Botafogo. Não nos conhecíamos muito bem, mas eu já estava completamente tomada por você, não pensava em outra coisa senão no seu corpo, na sua voz, na sua maneira de andar, de gesticular, de se vestir. Você dizia que me adorava, que eu mexia com você. Dizia que havia muito tempo não sentia isso por alguém, enquanto bebíamos um chope atrás do outro. Eu escutava cada palavra e sentia o corpo tremer: de medo, de desejo, de felicidade. Você me dizia palavras de paixão, e eu acreditava nelas. Mas ao mesmo tempo olhava nos seus olhos e sabia de tudo, descobria tudo. Olhava nos seus olhos e entendia que, por mais que viesse a me amar um dia, jamais nos amaríamos da mesma maneira. Sabia, desde o início, que o meu amor seria sempre mais forte do que o seu, e com isso sabia também que era grande o sofrimento que me aguardava. Era o nosso primeiro chope, e eu estava transbordando de alegria por estar sentada ao seu lado, por ter a certeza de que iríamos juntos para a cama, de que quando fôssemos para a cama daríamos prazer um ao outro, que eu sentiria prazer maior do que nunca antes. Era uma alegria grande, imensa, gigantesca, mal cabia no meu corpo pequeno. Mas era uma alegria misturada com uma dor antecipada, como se eu previsse o nosso futuro e percebesse no seu olhar toda a felicidade e toda a tristeza que me aguardavam.

Já estava no navio quando sentiu o peito apertado, o estômago revirado de angústia: só ele conhecia o verdadeiro motivo de sua partida. Vida melhor sempre se pode conseguir onde se está, mas fugir, não; para isso é preciso pegar um navio, ir para bem longe, principalmente se for de um grande amor, impossível de tão grande, como era o seu. Vinha de terceira classe, a cama apertada, colada a tantas outras em dois andares. Os passageiros eram, em sua maioria, homens sozinhos ou famílias inteiras. Quase não havia mulheres desacompanhadas. O cheiro era azedo desde o princípio da viagem, e ele pensou que seria difícil conviver com o fedor, os desconhecidos, a gritaria das crianças, os bêbados e ao mesmo tempo carregar tanta dor no corpo. Na verdade, não estava motivado para começar uma vida nova tão distante de suas raízes. Ainda por cima, tinha ouvido falar que no Brasil havia uma quantidade enorme de ratos, baratas, animais selvagens espalhados pela rua, lixo por tudo quanto é canto, um calor irrespirável. Mas era lá que tinha primos, contatos, gente que poderia ajudá-lo. Em Esmirna, não poderia continuar.

Um homem já velho depositou seus pertences na cama ao lado da sua, deu-lhe bom-dia e em seguida fechou a cara, feito dissesse que não estava disposto a conversar.

Melhor assim, pensou, já que também não estava muito à vontade para conhecer outras pessoas, preferia ficar sozinho, estendido na cama, com os pensamentos levando-o aonde quisesse.

Rosa era o nome dela. Quando descobriu que a filha estava trocando olhares com o funcionário da loja, seu pai não hesitou em tomar as atitudes mais severas. Ela: só poderia sair de casa se acompanhada do irmão mais velho, que estava ali para assegurar as ordens paternas. Ele: despedido imediatamente. Rua, vá procurar emprego em outro lugar, de preferência bem longe do meu estabelecimento, da minha casa, do meu bairro, do meu país. Já fazia um ano que estava à procura de outro emprego e só agora seguia as palavras do antigo patrão. Só agora, às vésperas do casamento da Rosa com o rapaz escolhido por seu pai. Levava na mala a pouca correspondência que trocara com ela, nas raras vezes que, seguindo-a dia e noite, conseguira estar a sós ao seu lado, nem que por apenas alguns ligeiros segundos. Quando soube do noivado, passou dias trancado no quarto até decidir que partiria para um país distante. Antes da viagem para o Brasil, entregou-lhe ainda uma última carta, em que lhe dizia pela última vez palavras doces e ternas, em que jurava pela última vez ser eterno o seu amor.

Cheguei hoje a Istambul. Carregava nas mãos o passaporte português, acreditando que me daria menos chateações. Uma longa fila até alcançar a polícia federal: de um lado, os turcos, do outro, os estrangeiros. Na minha vez: you need a visa. Como assim? É a lei, portugueses precisam de visto. Mas não sou portuguesa, sou brasileira. Não, não sou brasileira, sou turca. Meus avós vieram daqui, são todos turcos. Eu também. Veja, não pareço turca? Olhe o meu nariz comprido, a minha boca pequena, os meus olhos de azeitona. Sou turca. O policial torceu o nariz: you need a visa. Não discuti, meus argumentos nunca o convenceriam. Dei meia-volta e fui à imigração. Enfezada, indignada, decepcionada. Preciso de um visto para entrar no país dos meus avós? Que eles tenham nascido aqui, crescido aqui, nada disso conta? Dez euros e um carimbo no passaporte: úç ay süreli müteaddit giriş vizesidir. Çalişma hakki vermez. Posso fazer turismo durante três meses, mas não posso trabalhar. Definitivamente, não sou turca.

Você já estava cega de um olho quando o médico disse: não posso fazer mais nada. Se tiver condições, o melhor seria tentar um hospital nos Estados Unidos. Talvez, lá, eles possam impedir o avanço da doença.

Nem hesitamos: fizemos as malas e em dois dias já havíamos mudado de país.

Eu sabia bem que ao tocar pela primeira vez a campainha da sua casa estava assinando um contrato sem vencimento. Se existisse alguma possibilidade de desistência, ela deveria ser fincada ali, naquele momento, antes de atravessar a porta. Mas como não atravessá-la? Por que não atravessá-la? Meu corpo ainda não estava paralisado, eu queria caminhar, queria ir ao encontro do que tinha me pego na esquina, descobrir o que me aguardava do outro lado da rua. Naquele início, a paixão se manifestava como fome — de novidades, conversas, toques, sexo —, eu queria engolir tudo o que estivesse à minha frente, tudo o que viesse de você. E assim foi. Toquei a campainha. Suava. Minha camiseta molhada se colava ao busto, marcando levemente os seios. Quando você abriu a porta, eu não podia esconder o desejo de pular em cima do seu corpo, ali, no corredor de entrada da sua casa. Tenho certeza de que você sentiu meu cheiro de sexo prestes. Deslizou delicadamente a mão direita sobre meu rosto, demorando-se atrás da orelha, no pescoço. Arrumou meu cabelo e com a outra mão segurou minha nuca. Você me exigia demais naquele momento: exigia-me paciência. Deixei-me ser levada, controlando minha fúria e meu desejo de controlar. E nisso estava o meu prazer, em ser surpreendida, em ser guiada numa direção inusitada. A cada toque seu, a cada dedo, lábio, nariz, a cada extremidade sua esbarrando na minha pele, sentia os poros se eriçando, se antenando numa velocidade simetricamente oposta à de seus movimentos. Você demorou a me beijar, a enroscar sua língua na minha até quase a garganta. Antes disso, ficou me acariciando, aproveitando todo o deleite que eu estava disposta a lhe dar. Você me olhava — nos olhos, no queixo, nos seios, no ventre — como se quisesse me tirar toda a estabilidade, como se quisesse tirar os meus pés do chão. E conseguiu. Naquele instante, eu já não pisava em lugar algum. Já não tinha os pés na terra. Não sabia onde estava, mas ao mesmo tempo tinha toda a certeza de que era ali que queria estar. Você não tinha dúvida, eu já era sua. E, como se quisesse me mostrar que estava ciente disso, me segurou com força, apertou meus braços e colou sua boca à minha, sua língua à minha. Deslizou suavemente a mão pelo meu corpo. Quanto mais seus dedos descobriam o caminho, mais vulnerável eu me sentia. Nesse momento sabia que não haveria volta, já estávamos amarrados. Sua língua estava em meus seios — um e outro —, contornando os mamilos, deixando-os quase tão encharcados quanto meu sexo, ainda à espera. Não por muito tempo, é verdade, pois não demorou para você colocar, certeiramente, a mão por debaixo da minha saia. A calcinha abafada, úmida. As pernas se abrindo ligeiramente, o convite já feito. E, como pude confirmar tantas outras vezes, poucas coisas me excitavam tanto quanto seus dedos afastando a parte de baixo da calcinha para um lado só, deixando meu sexo descoberto. Para logo cobri-lo de novo, com seus dedos. Leve-me para a cama, eu disse. Você fingiu não ouvir. Com as duas mãos, levantou minha saia, arrancou minha calcinha e se abaixou aos poucos. Continuei de pé, enquanto você, ajoelhado, implorava não sei o que entre as minhas pernas, numa língua que só vocês dois entendiam, o meu sexo e a sua boca.

Nas paredes do quarto, apenas musgo. Um cheiro fétido de coisas guardadas. Objetos esverdeados pelo mofo. Tudo já degradado, tudo velho, antes mesmo do tempo. No centro do quarto, a minha cama. De madeira apodrecida, nem sei como ainda se mantém de pé. No centro da cama, o meu corpo. Dilacerado, aberto por feridas em carne viva. Repleto de nódoas roxas e amarelas. De furúnculos. Meu corpo carcomido pela ancestralidade do quarto. Impossibilitado de se movimentar. No centro do corpo, a máquina de escrever. O teclado quase todo apagado, a tinta por acabar. Minhas mãos enxovalhadas pelo sangue seco teclam, uma a uma, as letras do que escrevo.

Se ele quisesse, poderia conservar seu nome, sua origem. Preferiu criar outros, dar um novo nome e uma nova origem à vida que o aguardava. Sentia que para recomeçar precisava de outra identidade: se não deixasse para trás tudo o que havia sido seu até então, estaria para sempre amarrado ao passado.

Saí do aeroporto ainda indignada por ter precisado de um visto. Que esquecesse logo essa história, a falta de reconhecimento da imigração não mudaria em nada a minha relação com o país. Ou então eles estavam certos, não sou mesmo turca, não tenho nada a fazer aqui. Serei uma turista como outra qualquer: a percorrer mesquitas, andar de barquinho no Bósforo, comer cordeiro com espanto, visitar castelos e museus, comprar tapetes, couro e especiarias no grande bazar. Pedirei na rua para tirarem fotos minhas e farei "x" no momento certo. Serei a mais estrangeira das turistas, desajeitada para pedir informações, rindo do que não tem graça. Pegarei o ônibus sightseeing e verei a cidade do segundo andar, prestando atenção às palavras do guia. Contratarei serviços de grupo. Irei a restaurantes com dança típica, mulheres sacudindo o ventre. Depois voltarei ao Brasil e farei uma sessão de fotos com os amigos. Contarei a todos como é lindo o país, que não imaginava tão exuberante, com palácios e mesquitas imensos, cheios de riqueza de outrora. Contarei a todos que nunca antes vira nada tão diferente, uma mistura de cultura oriental com cultura ocidental. Contarei a todos que as mulheres andam, em sua maioria, cobertas por lenços ou véus. Que os homens param o serviço quando escutam o canto de chamada para a reza. Contarei a todos que a cidade é um pouco suja, mas muito segura, não há problema algum em sair com a máquina fotográfica pendurada no pescoço. Por fim, direi a todos que precisam ir, precisam conhecer Istambul, vale a pena, muito a pena, a cidade mais linda que já vi.

Com a indicação do hotel na mão, recusei todas as ofertas de taxistas entre o desembarque e a saída do aeroporto e fui eu mesma tentar encontrar um táxi. Depois de algum tempo caminhando, avistei uma fila de carros: é lá, pensei. Mostrei o papel com as indicações do hotel a um senhor que, por sua vez, me orientou ao carro que me levaria ao meu destino. Não precisei fazer nada, ambos — o senhor a quem havia entregado o papel e o motorista — encarregaram-se de guardar as minhas malas.

O aeroporto era longe, e depois de certo tempo o silêncio começou a me incomodar. Do you speak English?, perguntei ao chofer. Um pouco, ele respondeu, com um sotaque carregado. Senti que a conversa não iria muito adiante e não insisti. Na verdade, não insisti porque não tinha mesmo o que falar. Coube a ele perguntar se era a minha primeira vez na Turquia. Sim, respondi. Você vai adorar: o país é lindo, o povo simpático, acolhedor. Feitos os elogios, não resisti e afirmei, convicta: meus avós são turcos. Turcos? É, turcos, vieram todos daqui, de Esmirna. De Esmirna!? Ele parecia não acreditar em minhas palavras. Virou o rosto uma, duas, três vezes enquanto dirigia, para me olhar com precisão. De repente, como que capturado por uma certeza evidente, proclamou: of course, você tem mesmo cara de turca, a pele morena, o nariz grande. Não sei como não reparei antes. Mas... você não fala turco, fala? Não, infelizmente não, meus avós nunca falaram turco com meus pais. Morro de pena.

Depois da minha revelação, ele foi ainda mais simpático. Fomos conversando até chegar ao hotel. Que eu iria gostar mesmo da cidade, quem sabe não vinha morar aqui um tempo para restabelecer minhas raízes? Aos poucos, fui retomando o bom humor que tinha abandonado na imigração. Talvez houvesse outras coisas para se fazer além do passeio de barco, das mesquitas, dos museus. O motorista já tinha me convencido: tenho cara de turca, não serei uma turista qualquer. Viramos à direita na Rua Ordu Caddesi e, logo entrando na Gençtürk, ele estacionou o carro em frente ao hotel. Levou as malas à recepção e, contente com a gorjeta, se despediu, desejando-me boa sorte.

Morri de rir quando você disse que adorava mulher menstruada. Como assim adora? De que exatamente você gosta? Do cheiro? Da cor? Do gosto, você respondeu. Ri, ensaiei uma cara de nojo: não, não pode ser. Sim, você me assegurou, pode, sim. Aguardei uns segundos, o tempo de saborear a resposta. Então vai.

Esta noite, tive um sonho estranho. Um pesadelo. Chegava à casa do meu avô na Turquia, uma casa grande, bonita, bem antiga, cheia de detalhes na parede, como um vestido bordado. Um tom meio salmonado afirmava que fora pintada havia pouco. A porta — feita com madeira escura, talhada, formando desenhos dentro de desenhos — ocupava quase a metade da parede. E a fechadura, quase imperceptível, em vez de se encontrar, como de costume, à direita da aldrava, ficava no canto esquerdo da porta, próximo à dobradiça. Mergulhei a mão na bolsa, segura de ter a chave de casa, mas para meu espanto não tinha uma chave, tinha várias, uma dezena talvez. Todas enormes! Proporcionais à porta, mas não à fechadura. Joguei a bolsa no chão e, num desespero, pus-me a procurar entre tantas chaves a que pudesse ter o formato certo. Só que, quanto mais eu procurava, mais chaves apareciam, e no final já devia estar cercada por uma centena delas. Repetia a mim mesma: não é possível, ela tem de estar aqui, eu sei que está aqui.

De repente, escutei um rangido forte, era a porta sendo aberta. Um homem que devia ter a idade do meu pai apareceu, convidando-me para entrar. É aqui, venha, entre na sua casa. Tomei um susto. De onde vinha essa pessoa falando português? Venha, ele repetiu. Quando entrei, a casa estava repleta de pessoas de todas as idades, de crianças a idosos, todos com um certo ar familiar. Os homens portavam uma kipá, e as mulheres — nem todas —, um lenço branco sobre as costas. Cercaram-me imediatamente, abraçando-me, acolhendo-me: esta é a sua casa, eles diziam. A mesa estava farta, com pães, mel, maçã, matzá, vinho, boios, queijos, burrecas, pinhonate e amêndoas. Venha, sente-se à mesa, preparamos deliciosos quitutes para você. Não tinha fome, mas o cheiro estava tão convidativo que não resisti. Comecei pelas burrecas: de queijo e de berinjela. Mas não tardou para que eu percebesse que era a única a comer, que era, na verdade, a única sentada à mesa. Enquanto isso, todos me observavam de pé, como se eu fosse um bicho estranho, um animal exótico vindo da selva. Parei de mastigar, procurando algum rosto conhecido. Tive medo. Todos notaram e começaram a rir. Alcancei a porta em um só tempo, queria sair de lá, tinha certeza de que estava na casa errada. De repente ouvi uma voz grave afirmando: esta é a sua família! Tentei abrir a porta, mas ela estava novamente trancada, e eu não tinha mais nenhuma chave comigo. As gargalhadas aumentavam cada vez mais, enquanto eu berrava: cadê a chave? Onde a coloquei?

Acordei com o corpo encharcado de suor, deitada na minha cama, no meu quarto, na minha casa.

Quase todos os dias há momentos em que faço alguma coisa e logo em seguida penso: não sou eu. Coisas bobas, do cotidiano, como sorrir, encolher o corpo no sofá para ler o jornal ou segurar a xícara de café com as duas mãos. De repente, no meio do gesto, sou acometida pela sensação de que não sou eu quem está ali. Quando emendo uma gargalhada na outra, por exemplo, e não consigo parar, tenho a certeza de que é você quem está rindo. [É verdade, somos muito parecidas. Também já tive essa sensação, olhava para você e pensava: como somos iguais.] Mas não é só isso, é uma sensação esquisita, uma certeza absoluta de que não sou eu. Nem sempre é você, às vezes é o papai, às vezes o vovô, às vezes nenhum de vocês. Às vezes sinto que é alguém que nunca conheci, mas que fala através de mim, do meu corpo. Como se meu corpo não fosse apenas meu, e a cada momento eu percebesse essa multiplicidade, a existência de outras pessoas me acompanhando. [Mas isso é apenas uma sensação, não é real. Você é você e ponto final. O resto, querida, são apenas semelhanças que nos fazem lembrar de alguém.] Não, mãe, não vou reduzir o que sinto a essa palavra tão simples: semelhança. Não digo que sejam espíritos, mas semelhança é uma palavra pobre. Talvez não consiga fazê-la acreditar, mas sei que quando meu dorso se curva sobre o corpo em forma de gancho não sou apenas eu quem se curva. Eu sei, mãe, mesmo que não encontre a palavra certa, que meu corpo não é só de mim.

No início era assim: passávamos dias seguidos sem ver a luz do dia, trancados no quarto como se tivéssemos passado a vida esperando esse momento. Esquecíamos tudo o que havia do lado de fora e passávamos os dias e as noites na cama.

Soube da morte da Rosa por uma carta da irmã. Já estava no Rio de Janeiro havia alguns meses, trabalhando com um primo e fazendo projetos para abrir a sua própria loja de ferramentas. Sentia saudades da família e escrevia cartas ao menos uma vez por semana. De lá, as notícias eram quase sempre as mesmas, tinha a impressão de que nada havia mudado depois de sua partida. Seu corpo acelerava toda vez que recebia um envelope da Turquia, abria-o correndo, ansioso por novidades ou uma palavra de alento. A irmã lhe contava do trabalho do pai, dos problemas de saúde da mãe e algumas novidades sobre o irmão mais velho, que iria se casar dali a pouco. O mais novo não falava senão do Brasil, que queria seguir os passos do irmão, tentar a vida lá. Ela, por sua vez, aguardava o resultado da busca do pai por seu futuro marido. Mas não quero me casar assim, quero me casar por amor. Será que o papai nunca vai entender isso? Não quero um marido escolhido por ele, quero poder escolhê-lo eu mesma. Você não concorda comigo, querido irmão? Ele sentiu o peito apertado, conhecia bem o que ela estava falando. Tenho medo de que aconteça comigo o mesmo que se passou com a menina Rosa. Você se lembra da Rosa, filha do seu antigo patrão da sapataria? Pois é, parece que andava apaixonada por um rapaz que o pai não aprovava.

Inventaram-lhe então um casamento arranjado, às pressas, pois o pai tinha medo de que ela fugisse com o outro. Mandaram vir um rapaz de Istambul, filho de uma família de prestígio, amigos de infância do pai da Rosa. Ela, por sua vez, não aceitava a decisão da família, não queria outro homem senão aquele que amava. Mas você conhece os procedimentos da nossa comunidade, Rosa nada podia contra a decisão paterna. Sabe qual foi a maneira que encontrou para não ficar em silêncio, meu irmão?

Seu corpo paralisou, não conseguia se mexer, o coração querendo atravessar a garganta, o medo da resposta tomando conta do corpo petrificado. Ele já não podia ler a carta, já não podia não lê-la. Com uma pedra amarrada ao pé, ela se atirou no poço da praça. Matou-se, meu irmão. Encontraram o corpo boiando, o vestido inflado pela água. Você imagina o escândalo? A família proibiu o luto, e agora a comunidade usa o exemplo dela para convencer as moças a se casarem com os pretendentes escolhidos pelo pai. Mas não deveria ser o contrário? Você não concorda que essa história nos mostra a impossibilidade de um casamento sem amor? Ele tremeu, sentiu o estômago revirar, as pernas incapazes de lhe sustentar o corpo, a dor. Arrependia-se: nunca deveria ter vindo ao Brasil. Arrependia-se: deveria tê-la trazido consigo.

O calor era forte, como eu não imaginava antes de sair do Brasil. Parei numa lanchonete para tomar um suco e analisar o mapa que o recepcionista do hotel tinha acabado de me dar. Vista assim, no papel, Istambul me parecia uma cidade como outra qualquer. Procurei a rua do hotel — o que me custou alguns minutos — e percebi que não estava longe do centro, só não sabia se deveria caminhar para a frente ou para trás, para a direita ou a esquerda. Queria ir para Eminönü, onde ficam as mesquitas principais. Queria começar pelo óbvio, para depois me deixar levar pelo desconhecido. Paguei o suco e perguntei ao garçom como eu fazia para chegar lá. Ele me respondeu simpaticamente, mas foi em vão. Mesmo tendo afirmado que falava inglês, só falou em turco. Acabei decidindo pegar um táxi: por favor, o senhor me leve à Mesquita Azul.

O espanto é inevitável. Bastou vê-la para não me arrepender de nada, para não ter medo, para ter uma única certeza: sim, eu tinha feito a escolha certa. A construção não é apenas imensa e impressionante, é também delicada e terrena em seus pequenos detalhes, monumental em seu tamanho, em suas finas e compridas torres (no alto delas, vejo uma leve pintura azul). Esqueço tudo o que há à minha volta, o calor, o cheiro desagradável, a multidão de turistas e de vendedores ambulantes. Esqueço o motivo da minha viagem, a chave, a porta, o meu avô, o passado. Somos só eu e ela naquele instante, como devem ser as verdadeiras relações de amor. Somos eternos por alguns segundos, ela a me olhar em sua quase onipotência, eu a olhá-la em minha precariedade certa. E é assim que a adoro, que a aprecio como jamais havia apreciado monumento algum. Passo longo tempo a percorrer seu espaço externo, prolongando ao máximo o momento da entrada. Vejo um corredor enorme, com uma cadeia de torneiras e banquinhos. No meio dele, três homens — dois rapazes e um senhor — lavam os pés, o rosto, o pescoço. Estou morrendo de calor e gosto da ideia de me refrescar um pouco. Imito-os: sento no banco, ligo a bica e molho apenas as partes expostas do corpo. Os rapazes me olham e riem e cochicham entre si. O senhor se levanta e, quando me dou conta, já está ao meu lado, brandindo as mãos, falando alto comigo. Não entendo uma palavra do que diz, mas entendo que não deveria estar lá, que estou fazendo algo de muito errado. Levanto-me correndo, vermelha, sem graça, envergonhada pela falta de tato, e os dois rapazes riem ainda mais enquanto, enfezado, o homem volta ao seu lugar e recomeça seu ritual. Só mais tarde é que fui descobrir que aquele é um lugar sagrado, mas acima de tudo um lugar apenas para os homens, que devem se purificar antes de entrar na mesquita para as orações.

Distancio-me de lá às pressas e contorno a mesquita até chegar à entrada principal. Subo as escadas e me deparo com um pátio retangular que tem no centro uma espécie de mesquita em miniatura. Ao fundo, uma porta enorme, de madeira, toda talhada, pela qual as pessoas entram e saem. No pátio, vejo muitas famílias, muitas crianças e muitas mulheres com um lenço na cabeça, outras com véu e uma com burca, inteiramente coberta de preto, apenas os olhos à mostra. Já tinha visto algumas em jornais, televisão e filmes. Mas ver uma mulher assim, ao vivo, escondendo tudo, escondendo seu corpo, seu rosto, seu cabelo, provoca-me uma sensação esquisita, ao mesmo tempo um distanciamento enorme, como se houvesse um profundo abismo entre nós, e uma cumplicidade particular às mulheres. Penso que poderia estar no lugar dela e sinto vontade de descobri-la. Sinto vontade de vê-la. Não é uma simples curiosidade, é como se eu precisasse me aproximar dela, tocá-la e, assim, quebrar a nossa barreira. Fixo o olhar nessa mulher, já não posso reparar na mesquita. Quando se dá conta de que está sendo observada, ela muda de lugar, atravessa o pátio e vai se sentar num ponto que meu olhar não alcança, exatamente atrás da construção central. Novamente, sinto-me enrubescer. É de fato a primeira vez que piso num mundo tão diferente e não posso esconder que não sou daqui. Cometo todas as gafes que um habitante local jamais cometeria. Tenho vergonha de mim mesma. Não quero estar à parte, mas tenho a sensação de que é isso o que acontece.

Quando vou entrar na mesquita, um homem se aproxima e me dá um lenço para cobrir a cabeça e outro para as pernas. Também devo tirar os sapatos. Vejo dois rapazes conversando, ambos com uma credencial no pescoço. Um deles se apresenta e começa a falar comigo. Conversamos um pouco, e ele me pergunta se aceito sua companhia durante a visita. Digo que sim, tenho vontade de estar com alguém de lá e simpatizo com ele. Não sou guia, trabalho aqui na mesquita, e se quiser posso contar algumas coisas sobre sua história, ele me diz. Depois me conta quando, como e por que ela foi construída, me explica o significado de alguns escritos, como rezam os muçulmanos, me mostra a direção de Meca, me diz por que a mesquita se chama azul e também qual o seu verdadeiro nome. Um menino passa por nós com uma roupa que parece de príncipe. Ele está vestido assim porque vai ser circuncidado, revela o rapaz. Mas com essa idade?, pergunto. Sim, alguns o fazem ainda bebês, mas a maioria entre cinco e oito anos. É um momento de grande alegria para eles. Pergunto ao menino se posso tirar uma foto sua. Ele concorda e posa com um grande sorriso, deixando evidente o orgulho de estar vestido com o traje da cerimônia.

A mesquita é enorme, e quase não há ninguém. Delicadamente, peço ao rapaz para ficar um pouco sozinha. Não sou muçulmana, nem mesmo religiosa, mas há algo lá dentro que me dá um sentimento de paz e tenho vontade de ficar sozinha, apenas eu e a minha tristeza, eu e a minha alegria.

Estou quase adormecendo no silêncio quando ele se aproxima para me avisar que preciso sair. Em pouco tempo, começaria a reza, e nesse momento não são permitidos turistas no interior. Saio apressadamente, com receio de uma nova gafe. Na porta, devolvo os lenços e calço novamente meu sapato. Ele ainda está lá e diz que quer me mostrar uma última coisa. Atravessamos o pátio e ele me pede para observar de perto as pilastras, ver se encontro algo de inusitado. Digo que não, sou incapaz de perceber o que ele gostaria que eu percebesse. Então, ele me aponta, quase apagados, vários nomes grafados em árabe. São os nomes dos pedreiros: a cada etapa concluída, eles deixavam suas assinaturas. Trocamos mais algumas palavras e ele se desculpa: preciso ir, tenho de me preparar para as obrigações.

Deixo a mesquita em estado de encantamento. Caminho na praça sem saber onde estou, com os pés ali, mas as ideias em outro lugar. Estou já sentada num banco quando escuto uma voz inundar a praça, a cidade. Uma voz que parece vir de nenhum lugar, de um lugar distante, desconhecido. O som parece arranhado, melancólico, um verdadeiro lamento. Tenho a sensação de já tê-la ouvido antes, mas também a certeza de nunca tê-la ouvido. Vejo as pessoas se apressarem, correrem de um lado para o outro. Deve ser esse, então, o chamado para a reza. A voz persiste, ecoa, continua ressoando mesmo quando não é mais cantada. Em seguida, para e depois recomeça, encontrando ainda algumas pessoas na rua. Pego a minha máquina fotográfica, que também registra sons, e gravo o canto. Quero poder ouvi-lo outras vezes, em outros lugares, outros momentos. Novamente, a voz descansa para em seguida retomar o chamado. A praça fica praticamente vazia, nem os meninos que vendem bugigangas turísticas, nem os vendedores de kebab, nem os pássaros. Apenas turistas como eu. O canto continua, prolonga-se ainda umas quatro vezes, ecoando de maneira inesperada em alguma parte arcaica do meu corpo, alguma memória que ignoro. A voz — um gemido, uma lamúria — se expande por toda a cidade até cessar. Istambul parece então morta, e sinto que há em mim algo muito antigo que começa a renascer.

Já no elevador, perguntei: o que aconteceu? Por que essa pressa toda? A conversa estava tão agradável... Você respondeu: foi você, essa sua roupa, esse seu vestido soltinho, essa sua mania de não usar sutiã. Fiz cara de desentendida: como assim? Pois é isso mesmo, não aguento, fico louco. Estou sentindo uma vontade enorme, uma necessidade de vê-la inteiramente nua. Sorri, ligeiramente envergonhada, e o envolvi num beijo que durou mais do que o tempo de chegarmos ao térreo.

No carro, quase não falamos. Você acelerava, avançava os sinais. Calma, eu dizia. Você virava para o lado e sorria. Parecia que se não chegássemos logo perderíamos o tesão. Nosso desejo era assim, nos arrebatava de repente e éramos quase forçados a segui-lo. Seria árduo ignorá-lo. Eu via você dirigindo e entendia que não poderia ter continuado no jantar. Entendia, porque isso também acontecia comigo.

Em casa, você tirou os sapatos e foi buscar um uísque. Apesar da urgência, você se esforçava para aguardar, para criar uma ambiência sedutora. Serviu-nos e acendeu um cigarro. Também quero um, eu disse, você me passa? Eu tinha o cigarro na boca quando você o acendeu. Ficamos algum tempo assim, bebendo, fumando, olhando-nos, sorrindo. Quase nenhuma palavra, apenas um comentário ou outro. Até o momento em que você me olhou com mais vontade, dizendo-me, com seu olhar, que era chegada a hora. Não falei nada, não perguntei nada. Apenas me levantei da cadeira e, aos poucos, comecei a me despir. Abaixei a alça do vestido deixando à mostra o início dos seios. Você se mexeu no sofá. Sorri. Abaixei-a mais, revelando os seios por completo. Tirei o vestido por baixo e, de uma vez, fiquei apenas de calcinha. Dava para distinguir por debaixo dela, feito sombra, o meu sexo. Vire, você disse. Sem poder vê-lo, senti no dorso todo o perigo do mundo. Eu sabia que você olhava a minha bunda, a parte do meu corpo que você preferia. Você era óbvio ao eleger a bunda, mas ainda assim eu me rejubilava com a sua escolha. Eu continuava de costas quando desci a calcinha. O corpo nu, uma estante de madeira escura à minha frente e a certeza de que você olhava a minha bunda. Vire, você disse novamente. E então cruzamos nossos olhares: você inteiramente vestido, eu inteiramente nua. Eu sentia o seu desejo se espalhando pelo meu corpo no mesmo ritmo em que você meneava os olhos. Nem se quisesse eu conseguiria me mexer, estava paralisada pelo seu olhar.

Foi você quem se levantou e pôs-se também a tirar a roupa. Quando afrouxou o cinto, senti meu sexo esquentar, as mãos cheias de desejo de tocá-lo por dentro da calça. Você tirou a camisa por último, logo após a meia. Seu sexo estava duro, de pé, e eu gostava de olhá-lo assim, como se ele também me olhasse. E gostava de olhar seu tórax definido, quase sem pelos, suas pernas feito de jogador de futebol, seus braços ligeiramente musculosos. Você ainda me olhava, cada vez com mais vontade, e seu olhar me tocava da mesma maneira que seu corpo nu separado do meu. Ficamos distantes um do outro durante algum tempo, até o momento em que nossos sexos quentes já não puderam suportar a solidão, até o momento em que os nossos sexos quentes exigiram a presença de nossas mãos, de nossas bocas e de nossos sexos quentes.

Conto (crio) essa história dos meus antepassados, essa história das imigrações e suas perdas, essa história da chave de casa, da esperança de retornar ao lugar de onde eles saíram, mas nós duas (só nós duas) sabemos ser outro o motivo da minha paralisia. Conto (crio) essa história para dar algum sentido à imobilidade, para dar uma resposta ao mundo e, de alguma forma, a mim mesma, mas nós duas (só nós duas) conhecemos a verdade. Eu não nasci assim. Não nasci numa cadeira de rodas, não nasci velha. Nenhum passado veio me assoprar nos ombros. Eu fiquei assim. Fui perdendo a mobilidade depois que você se foi. Depois que conheci a morte e ela me encarou com seus olhos de pedra. Foi a morte (a sua) que me tirou, um a um, os movimentos do corpo. Que me deixou paralisada nessa cama fétida de onde hoje não consigo sair.

[Não quero ser culpada pela sua paralisia. Minha mão continua aqui, estendida, mas não posso colaborar com essa loucura na qual você insiste. Não escolhi partir, e você sabe disso. Agora, cabe a você gerenciar a sua vida, não posso fazer mais do que lhe segurar a mão, do que lhe dirigir a palavra. Entenda: quem partiu fui eu, e a única maneira de permanecer viva é com você. Se você desistir, aí, sim, estarei morta. Se não se mexer, não sair desse quarto obscuro, eu também continuarei aqui. Levante-se, saia do lugar. Se não pode fazê-lo por você, faça-o por mim. Não lhe peço para viver sem os mortos, mas para viver com eles. Escute-me ao menos uma vez, faça um esforço. Não estou dizendo que seja simples, apenas lhe peço para mudar a posição da câmera, para enxergar de outro ângulo. Você não perdeu nada: nunca perderemos o que já é nosso. Se conseguir entender o sentido dos mortos na vida não ficará mais nem um minuto estendida nessa cama. Não se entregue, pois estará me entregando. Continue a viver, e continuarei vivendo.]

Istambul é uma cidade de portas. Não sei se é porque vim atrás de uma, mas não me lembro de outro lugar que tenha me chamado tanto a atenção por suas portas. Cada uma é minuciosamente trabalhada. Não apenas as portas das mesquitas e dos palácios, mas também as ordinárias, das casas das pessoas, dos pequenos estabelecimentos. Em sua maioria, são de madeira. Quase todas são desenhadas, ornamentadas, e precisam de tempo para ser apreciadas. A cada esquina, deparo-me com uma nova porta que me atrai por motivos diferentes: tamanho da fechadura, complexidade dos desenhos, cor da madeira, peso, cheiro. Às vezes sou surpreendida pelo seu dono, que vem me perguntar se ando à procura de algo: não, explico, estou apenas admirando a porta. Alguns sorriem, outros fecham a cara, outros me contam histórias de suas portas, quantos anos têm, o que representa tal e tal desenho, por que foram feitas de tal maneira, grandes ou pequenas. Às vezes me explicam em inglês, e agradeço, outras em turco, e agradeço da mesma forma. O que me importa é saber que o objeto do meu olhar tem algum significado. E assim vou me preparando para o encontro em Esmirna, familiarizando-me com as portas para não levar um susto inesperado diante daquela que me aguarda.

Existe alguma coisa que a deixe feliz? Sim: andar de bicicleta de madrugada depois de fazer amor. Mas tem de ser aquela bicicleta modelo antigo, o guidão curvo, uma cestinha pendurada. De saia rodada, o vento descobrindo as pernas. Gosto de pedalar em alta velocidade, a rua quase deserta, sem parar nos sinais vermelhos. Pegar avenidas largas, depois ruas estreitas, vielas, me perder por caminhos que não conheço. O sorriso explícito, sem mistério algum. O corpo ainda quente, a calcinha ainda úmida, os braços trêmulos, as pernas bambas.

Encontraram-no deitado no chão, a barriga para baixo, uma poça de vômito seco de um lado e a carta da irmã do outro. Não tinha ido ao trabalho, e seu primo resolvera então mandar o caçula verificar se havia algo de errado. O menino tinha sete anos e levou um susto quando viu o corpo estirado no chão, pensou que estivesse morto. Saiu chorando pela rua, a gritar que tinham matado o primo. O alvoroço foi geral: vieram vizinhos da rua inteira, curiosos, fuxiqueiros, para ver a tragédia. Há pessoas que gostam de ver corpos ensanguentados, esfaqueados, atropelados, para depois virar o rosto e dizer: que horror! Já estavam inventando histórias, que ele devia ter chegado com uma doença do seu país, que tivera um ataque cardíaco, quando o primo — o dono da loja de ferramentas — apareceu e virou o corpo. Com a mão sobre suas narinas, percebeu que ele ainda respirava: não está morto, não, foi só um desmaio. Poucos puderam esconder a decepção estampada no rosto, se era só um desmaio por que tanta balbúrdia? Voltaram quase todos a seus afazeres com exceção do primo e de um vizinho, que lá ficaram para carregar o corpo para a cama, dar-lhe água e tentar reanimá-lo. A princípio, queriam levá-lo ao hospital, mas ele foi recobrando a cor e a lucidez, então acharam melhor deixá-lo lá mesmo. Ele dizia se sentir bem e não queria sair de casa. Deve ter sido coisa à toa, disse o primo: sabe como é, o calor dessa terra é muito forte. Repouse bastante hoje que amanhã já deverá estar bem novamente. Ele fez que sim com a cabeça, pensando que queria ficar a sós, na sua cama morna, embaixo do lençol. Mas ainda teve de esperar o primo jogar conversa fora durante mais de uma hora, e o vizinho também lá, a rir do que contava o primo. Depois se despediram: quero vê-lo amanhã cedo no trabalho, combinado?

No dia seguinte não foi à loja, nem no outro e nem no outro. Passou mais de um mês sem se levantar da cama. Quase não falava, apenas balbuciava sons de desconforto. Não comia mais do que umas torradas com manteiga e um copo de leite com café, estava enfraquecendo, e os parentes diziam que só podia ser descarinho: ele está descarinhado, repetiam, pensando em mandá-lo de volta à Turquia no próximo navio. Mesmo os que moravam no Brasil havia algum tempo ainda misturavam o português com a língua materna. Por isso diziam descarinho, que é a palavra deles para exprimir saudades. Já tinham chamado o médico, que disse estar sadio o paciente: deve ser algum mal da cabeça, porque o corpo funciona perfeitamente. O que não sabiam era que seu coração estava em destroços, esfarelado como um vaso de vidro que tomba no chão. Que para ele só havia noites, que o peito estava moído por um fundo escuro de tristeza e culpa. Tinha perdido o seu amor, a pequena Rosa, e sentia-se igualmente vítima e réu dessa dor. Passou um longo mês na cama, uma verdadeira noite sem fim, pensando nas mãos delicadas da Rosa, nos seus lábios finos, seus cabelos longos, seu jeito acanhado de rapariga pela primeira vez apaixonada. Ela também era a sua primeira paixão, e ele repetia a si mesmo que seria a única, que nunca mais amaria outra mulher como um dia a amara, como ainda a amava. Pensava no corpo suave que não chegara a conhecer, mas também em tudo o que poderia ter feito e não fizera. E, quando pensava que deveria ter ficado em Esmirna, enfrentado o pai da Rosa, os costumes, a tradição, sentia o coração puir-se ainda mais e uma angústia lhe arrebatar o corpo, um incômodo tão grande que ele só conseguia dizer a si mesmo: quero morrer. Chegou a pensar em suicídio, acreditava que só a morte seria capaz de amenizar seu sofrimento. Acreditava também que morrendo não teria mais culpa, que se tivesse o mesmo fim de sua amada seria perdoado. Mas não tinha forças nem mesmo para se levantar. Seu corpo e a cama eram um só, como um dia ele acreditara serem ele e Rosa. As pernas e os braços mal se moviam, nasciam raízes dos seus poros, suas unhas estavam curvas e a pele dando sinais de mofo. Foi só quando o primo apareceu, dizendo que se não se levantasse reuniria os vizinhos para tirá-lo à força, que ele conseguiu, enfim, se erguer. Só então arrancou as crostas que o uniam à cama e se mexeu, depois de mais de um mês esparramado no mesmo lugar, na mesma cama fétida.

[Por que levar tudo para o lado da dor? Por que sempre assim, desde pequena? A história do seu avô não é feita só de perdas. Essa história que você conta também tem outras histórias. Por que não narra, por exemplo, a alegria de desembarcar em terra tão acolhedora como a nossa? Por que não conta que foi a partida que deu a ele tudo o que construiu? Que, ao desembarcar no Brasil, seu avô encontrou uma tranquilidade que não tinha antes? Por que insistir em palavras tão doídas?] Não, eu não posso escrever de outra maneira. Também sei ser alegre, mas não aqui. A alegria também está comigo: nos bares, na praia, com os amigos, em outras viagens. [Mas por que não levá-la para a escrita?] Não, não posso. Se não sangra, a minha escrita não existe. Se não rasga o corpo, tampouco existe. Insisto na dor, pois é ela que me faz escrever. [Mas por que não tenta? Se não pode escrever sem dor, ao menos escreva sem peso, sem culpa. Tire o cimento dos ombros. Seja leve, escreva palavras leves.] Não sei. Vacilo, não tenho certeza se é esse o caminho, mas prometo: tentarei.

Você me ama? Amo. Ama quanto? Ai, lá vem você de novo com essas perguntas! Responde: ama quanto? Amo muito. Mas muito quanto?

Você não pode partir. [Por quê?] Porque não quero, não deixo, porque não é justo. Poderia argumentar que sou muito nova para perdê-la, que você é muito nova para partir. Que não sei como caminhar sem um pouco do seu cheiro a me acompanhar, sem suas palavras doces e ternas a me acalentar. Que ainda não estou preparada para caminhar sozinha, que preciso de um pouco mais de tempo. Que preciso de muito tempo. De todo o tempo. Poderia argumentar que há ainda muitas coisas que não fizemos juntas. Que quando estiver triste não terei colo quente para me receber. Que quando tiver medo não poderei me esconder atrás da sua saia. Que não terei a quem dizer te amo infinitas vezes sem medo algum, sem receio. Porque só o nosso amor não tem medo. Poderia argumentar que há coisas que nunca lhe disse, coisas que quero dizer. Que você também deve ter histórias para me contar. Que quero você ao meu lado para ouvir as aventuras que ainda viverei. Que quero você ao meu lado quando eu publicar o meu primeiro livro. Que quero você ao meu lado quando eu conhecer o meu príncipe encantado e com ele decidir que o amor é eterno. Que quero você ao meu lado quando nascer o meu primeiro filho, e também o segundo e o terceiro. Poderia argumentar isso e mais, porque é infinito o meu desejo de que você fique. Da mesma maneira, sei que há argumentos para a sua partida, que a vida é assim, ela acaba, a morte sempre vem, cedo ou tarde. Mas recuso os argumentos que não venham de mim mesma. E é por isso que grito, esperneio: não parta! Não é justo! E é por isso que berro, enquanto espanco o seu caixão de madeira polida: tirem a minha mãe daí! Lanço as mãos ao ar como os que não têm razão, como os únicos que têm razão, e repito: abram o caixão! Mas estão todos sem jeito e envergonhados: coitadinha dela, era tão próxima da mãe. Eles sentem pena, mas não me ouvem. É um dia quente de sol, como não devem ser os dias em que partem pessoas queridas. Eles descem o caixão e com largas pás cavam a terra. Não há flores, elas não são permitidas. Há pedras. Eles cobrem o caixão com a terra, deixam você lá dentro, sozinha, e eu aqui fora, sozinha. Paro de gritar, mas me recobro da certeza de estar assistindo a uma grande injustiça, talvez a pior de todas. E penso que se você estivesse aqui tudo seria diferente, que se estivesse aqui certamente me ouviria, abriria o caixão e se tiraria de lá, você se levantaria e viria na minha direção, pegaria nos meus braços e me diria que não há por que sofrer. Se você estivesse aqui certamente secaria minhas lágrimas que caem agora, enquanto lhe dirijo a palavra e você não me escuta, você já não pode me escutar.

Estávamos na cama quando o telefone tocou. Do outro lado da linha, uma voz grossa e firme perguntava se eu estava bem e dizia que tinha conseguido o meu número com uma amiga em comum, a dona da festa onde tínhamos nos encontrado havia cerca de uma semana. Como quem não tem o que conversar, mas precisa falar alguma coisa, ele disse: adorei nosso papo, apesar de rápido, e queria conhecê-la melhor. Só respondi com interjeições, mas nem por isso ele se apressou em desligar. Quando começou a falar dos meus olhos, dos meus cabelos, fiquei sem graça, afinal você estava ao meu lado. Como se não o conhecesse, levei um susto quando você, em vez de me pedir para arranjar uma desculpa e me livrar do telefonema, sussurrou baixinho: não desligue, continue falando. Nem tive tempo de esboçar uma resposta, de me opor à sua decisão. Quando me dei conta, você já tinha tirado a minha roupa e, olhando para o meu sexo, era a sua cabeça que eu via. Tentei afastá-la. Você me fixou com um olhar de quem diz para não impedi-lo, um olhar que me afirmava com segurança que eu não me arrependeria. Então me deixei levar. Enquanto ouvia a voz de um estranho, sentia sua língua me umedecendo. Eu tinha o sexo todo depilado, e você passeava livremente por ele, como se agora, que estava descoberto, à mostra, ele escondesse ainda mais segredos. Não foi nada fácil controlar o tom da conversa, prestar atenção ao que ele dizia, para ao menos poder lhe responder: claro, vamos combinar alguma coisa, sim. Você não quer anotar o meu e-mail? Minhas pernas se contorciam enquanto eu falava. Temi que ele desconfiasse de alguma peculiaridade na minha voz e me pus a falar como se estivesse com pressa. Você reparou e me repreendeu. Queria ir até o fim. Então, tive de inventar histórias, inventar assuntos, perguntei-lhe de onde conhecia a nossa amiga em comum, o que fazia da vida, entre outras coisas que não me interessavam absolutamente em nada. Enquanto isso, a sua língua ia ganhando mais intimidade com o meu sexo, e os dois se encaixavam de tal maneira que pareciam duas bocas se beijando, um beijo longo e molhado. Eu tinha a sensação de que os lábios de baixo eram como os lábios de cima, decididos, independentes e, o que era mais inusitado, tinham paladar. Eu sentia o gosto da sua língua, o gosto que tanto conhecia, mas que sentido ali, naquele lugar e naquele momento inesperados, era completamente diferente. Quando, finalmente, resolvi desligar o aparelho, foi porque a minha boca estava entre as minhas pernas, e seria estranho continuar falando, se meus lábios estavam tomados pelos seus.

Quando eu era pequena, minha mãe me narrou uma história que seu pai havia lhe contado quando ela também era pequena. De quando em quando, percebo-me saindo do presente e retornando a essa mesma história, como se de alguma forma ela fosse minha, tamanho o pavor que me desperta. Em Istambul, havia uma família imensa — gerações e gerações — que não saía do lugar. Uma família de preguiçosos, como dizia meu avô, marcada pela imobilidade. Para não terem de se deslocar, moravam todos em casas uma ao lado da outra, ocupando um quarteirão inteiro da cidade. Eram donos de mercearias e alfaiatarias, de forma que nem do quarteirão precisavam se distanciar. Sofriam se, por alguma razão, tivessem de se movimentar além do habitual. Não faziam visitas, a não ser em casos excepcionais. Até que certo dia, em uma das casas da família Tember — era assim que se chamava —, começou um incêndio. O fogo foi se espalhando de casa em casa, até ocupar o quarteirão inteiro. Como de costume, não se mexeram, ficando à espera de ajuda alheia. Mas o fogo era tanto que ninguém quis arriscar a própria vida para salvar a de pessoas tão morosas. E assim, consumidos pela chama, desapareceram todos os membros da família Tember que, devido à paralisia, nunca mais povoariam esta terra.

Na época em que ouvi o relato, fiquei noites sem dormir, pensando em cada uma dessas pessoas, embora nunca tivesse conhecido nenhuma. Não entrava na minha cabeça de menina por que eles não haviam fugido do fogo. Com o tempo, fui deixando essa história de lado, guardada em alguma gaveta da memória. Mas esquecê-la, nunca a esqueci. Ainda hoje, quando me acontece de ficar muito tempo imóvel na cama, inevitavelmente me pergunto se seria capaz de me movimentar, de fugir, caso fosse minha a casa incendiada.

As cartas da irmã foram rareando, o que o entristecia muito. Embora já estivesse acostumado com a nova vida — já eram quase cinco anos de Brasil —, sentia muita falta da família e de algumas coisas que tinha deixado para trás. As cartas eram a única maneira de se sentir mais próximo de lá, cada palavra trazia para ele um pouquinho do cheiro da Turquia, do cheiro de casa. Ele também, quando escrevia, se sentia mais próximo da família e se lembrava dos sábados em que passavam horas em torno da mesa, feito o tempo não existisse. Havia um consenso de que aos sábados não se podia brigar, de forma que, verdadeiro ou não, o clima que reinava na casa era o da harmonia e da ternura. As cartas eram para ele como um sábado, um momento em que se sentia acolhido e seguro. Claro, nem sempre traziam boas novas, como o destino de sua querida Rosa, mas de uns tempos para cá sua irmã contava mais alegrias do que tristezas: o noivo que enfim encontrara, amado por ela e aceito pelo pai; a fartura dentro de casa; o casamento do irmão mais velho; a boa saúde geral, apesar das pequenas queixas da mãe; a paz se instaurando novamente no país. Por isso, quando as cartas deixaram de chegar todas as semanas e começaram a chegar de quinze em quinze dias, e depois uma vez por mês, ele teve receio de que estivessem lhe escondendo alguma coisa, de que houvesse algo que não quisessem lhe contar.

Tentava não pensar nisso e levar a vida normalmente, embora insistisse em saber se havia algum problema. A irmã era sempre contundente: não, meu querido irmão, não há problema algum, mas é que ando sem tempo, tantos os preparativos do casório (ela escrevia isso sabendo que nunca se casaria, as mãos trêmulas pela doença, o corpo mole estirado na cama). Ele acreditava nas palavras que lia, embora desconfiasse que entre elas houvesse algum segredo, um silêncio enorme e perigoso. Por isso, quando recebeu da mão do carteiro um envelope que não trazia o nome da irmã, mas do irmão caçula, entendeu que tinha razão, não estava fantasiando, a verdade era muito diferente da que lia nas cartas. Rasgou o envelope numa pressa afobada, pressentindo que dentro dele não haveria palavras menos dolorosas do que as da morte da Rosa.

Meu querido irmão,

Infelizmente não são boas as notícias que tenho para lhe dar. Sei que há longo tempo você insiste em saber se há algo de estranho aqui em casa, mas, se decidimos não lhe contar nada, foi por opção da nossa irmã. Ela assim o quis, pois não queria lhe trazer preocupações em terra tão distante, e assim o fizemos. Um pouco contra a minha vontade, porque sei que, como eu, você prefere a verdade, mesmo quando ela é dura e triste. Mas, entenda, é difícil recusar um pedido de alguém tão querido quando uma doença arrebata seu corpo sem piedade, como aconteceu com a nossa irmã.

Se escrevo agora é porque já não há mais o que esconder, já não há mais vontade a ser seguida. Foram sete meses de muita agonia aqui em casa, e, conhecendo o papai como você conhece, deve imaginar que mal podíamos falar sobre o assunto, muito menos mencionar o nome da doença. Mas agora posso falar, devo falar. Tuberculose é o verdadeiro nome, meu irmão. Ela foi acometida pela doença no auge da alegria, quando já tinha decidido com o Samuel a data do casamento. Você tinha que ver, nossa irmã andava serelepe pela casa, rindo à toa, o rosto rejuvenescido, uma felicidade só. Até que um dia acordou com o corpo fraco, uma tosse esquisita arranhando a garganta. Deve ser um resfriado tolo, pensamos. Só que, em vez de melhorar, ela piorava a cada dia, e, quando voltou do médico, percebi que aquela alegria de antes não reapareceria. Acho que nunca vi tanta tristeza numa única pessoa! De um dia para o outro, toda a sua alegria se transformou em dor. O ar fresco e leve que reinava na casa começou a pesar tanto que eu tinha a impressão de que todos nós tínhamos as costas vergadas, de que havíamos adoecido junto com ela.

Nossa casa se tornou a mais triste do bairro, e nela não encontrávamos senão o sofrimento calado de uma família que sabe que vai perder sua única filha e o sofrimento dessa filha, dessa menina que acreditava ter achado a felicidade. Ela não quis lhe contar nada, meu irmão, porque não queria que você participasse dessa dor, preferia que você continuasse acreditando num mundo que já não existia. O único momento de alegria era quando ela recebia suas cartas com as novidades vindas do Brasil, seu emprego, sua saúde, seus amigos, e por isso queria lhe proporcionar o mesmo sentimento, o mesmo contentamento. Não quero que ele saiba de nada, ela me repetia, pois de nada serviria. Ou você quer que ele deixe seu novo lar para visitar uma irmã que já não tem muito tempo neste mundo de cá? Não sejamos egoístas, ela falava convicta, cada um com a sua sina.

Mas agora, querido irmão, já não tenho por que esconder, pois ela não está mais entre nós para me pedir segredo. Eu sei quanta tristeza esta notícia lhe trará, sobretudo porque era você o irmão mais próximo, seu irmão gêmeo. Sinto a mesma dor, e sei o quanto ela pesa no peito. Principalmente quando penso na sua doçura, na sua leveza, mas também quando penso em tudo o que ela ainda tinha para viver, em tudo o que ainda tínhamos para viver juntos. Não há nada que me entristeça mais do que esse futuro perdido.

Nosso pai e nossa mãe não são mais os mesmos: andam com o olhar perdido, como se já não soubessem o caminho da vida. Nunca vou me esquecer da mamãe em volta do caixão, toda de preto, um lenço cobrindo a cabeça, como no dia em que você partiu, cantando palavras de lamúria a manhã inteira. Quando a olhava desse jeito, tinha a certeza de que a sua dor seria sem fim, que ela jamais seria a mesma. Todos sabemos, mesmo sem viver a experiência, que não existe dor maior do que a de perder um filho.

Poderia estender essa carta em algumas páginas, contar-lhe os detalhes desses longos meses em que apenas esperamos a morte, mas o poupo desse excesso, pois a verdade já está dita, e é isso o que importa. O resto, cabe ao tempo definir. Por enquanto, nada podemos fazer, a não ser rezar pela nossa pequena e pedir para que fique em paz onde estiver.

Um abraço terno,
Sabi

Quando acordei estava molhada, a sua mão por debaixo da minha saia, a calcinha afastada para o lado. Estávamos rodando a Itália de carro, do norte ao sul. Acordei como quem acorda de um sonho erótico, mas era a sua mão, eram os seus dedos curiosos. O carro em alta velocidade, e você com apenas uma das mãos no volante. Meu corpo lúbrico, não tive como sentir medo. Quando abri os olhos, você mirava atento o horizonte. Então, fechei-os novamente e fingi continuar dormindo. Controlei qualquer vontade de me mexer, afastar mais as pernas ou me afundar no banco. Como se estivesse ausente, não fossem os líquidos falando por mim. Meu corpo, aparentemente imóvel, a mil. Será que você desconfiou que eu estava desperta? Seu dedo cada vez mais ligeiro, pensei que não aguentaria continuar inerte. Era o início do outono, as folhas já alaranjadas. Fiquei imaginando onde estaríamos, se no campo, se na praia, se alguém poderia nos ver da estrada, se poderíamos ser pegos em nosso pequeno delito. Fiquei imaginando a própria situação: nós dois no carro, eu dormindo, você com uma das mãos no volante, a outra em mim. Seu dedo cada vez mais ligeiro, já não pude me conter e movimentei o corpo, apenas a tempo do suspiro final.

Cada dia mais murcho, meu corpo já não me pertence. Devastado, é apenas vísceras, tripas que se expõem nos sulcos formados pelos cortes que me arrancaram a pele. O fedor acre de enxofre está cada vez mais forte, e o peso que me assolava o corpo transformou-se numa moleza inerte. Posso sentir o cheiro dos vermes se preparando para o banquete final. Sei que eles se aproximam e já comemoram a grande festa que acontecerá em breve. Em pouco tempo, estarão a me percorrer, fazendo novas perfurações neste corpo já esburacado. Com o grão de energia que ainda me resta, pego a máquina de escrever que me esmaga o ventre e repouso-a no chão. Em seguida, seguro as duas pontas do lençol enroscado ao pé da cama e puxo-o para cima de mim, cobrindo-me inteiramente, fosse um sudário.

Eu não podia dormir. Quando fechava os olhos, sabia como era não enxergar, e não queria sabê-lo. Passei todas as noites lutando contra o sono, inventando maneiras de permanecer com os olhos bem abertos. Ainda que o quarto fosse escuro, havia alguma luminosidade vinda do lado de fora. Às vezes, eu acendia o abajur e passava a madrugada lendo, você nem se dava conta. Eram tantas injeções, tantos medicamentos que, chegada a noite, você apagava. Enquanto isso, eu me esforçava para me manter insone, pois tinha medo de acordar e descobrir que algo tinha mudado. Quando você despertava, meu coração disparava: e então? Como está? Você consegue ver as horas? Fazíamos sempre o mesmo teste. À sua frente, havia um relógio de parede com números grandes. Se você fosse capaz de me dizer as horas, estava tudo bem. Aí, era só aguardar o decorrer de mais um dia. [Eu sabia que a batalha chegava ao fim, que era o momento de repousar as armas. O medo é imenso enquanto lutamos, mas quando sabemos que não há mais por onde ele se esvai, evapora leve no ar. Eu já não tinha medo.] Eu morria de medo, jamais sentira pânico parecido. Era mais grave do que se fosse eu mesma a perder a visão, era você a perdê-la, eu com as mãos abanando, sem nada a fazer. Queria entender exatamente o que você sentia, estar no seu lugar. [No meu lugar? E o que você faria?] Não sei, mas queria saber como era a sua dor e não podia. Era essa a angústia que me inchava o peito. Quando eu fechava os olhos, um pouco do seu sofrimento se pronunciava. Ele me parecia tão enorme, que eu abria os olhos às pressas, era injusto que você fosse obrigada a passar por isso. [Não vou dizer que não sofri, seria mentira. Mas também vivi naquele hospital a alegria mais profunda. Nós duas fechadas no mesmo quarto durante duas semanas, eu nunca tinha sentido amor tão aflorado, tão à superfície. Cada gesto, por menor que fosse, tinha a intensidade de uma declaração. Eu estava desprovida do medo e da angústia, então podia sentir tudo o que você me oferecia: o amor. Existe alegria maior? Você deitada na cama comigo, subvertendo as regras do hospital. Você lendo em voz alta aquele romance epistolar, lembra-se? Nós duas jogando cartas enquanto ainda me era possível. Você me deixando ganhar, como fazem os pais com os filhos pequenos. Você supervisionando o meu soro. Você me contando as suas aventuras. Você controlando se as enfermeiras seguiam à risca as ordens do médico. Você me dando banho de gato, passando pomada na minha vagina, tocando o meu corpo em chagas, meu corpo carunchoso repleto de pus, meu corpo cheirando a acidez, cheirando a morte, você o tocando sem asco, como se fosse seu o meu corpo, o nosso.] É verdade, você tem razão. Tampouco eu conhecia a extensão de nosso sentimento. Era como se o esticássemos a cada dia um pouco e, quanto mais o esticávamos, mais entendíamos que ele iria até onde quiséssemos. Ele não tinha fronteiras, não tinha tamanho, era uma presença que se fazia mais forte do que a precariedade da carne. Também não tinha tempo, e foi só mais tarde, quando eu já não temia a sua morte, que compreendi o que na época ainda estava misturado com a dor. Hoje, sei exatamente o que significa esse sentimento entre nós. Hoje, mãe, sou eu que a carrego no ventre.

Eu estava saindo do banheiro quando você me forçou a voltar. De frente para o espelho, eu admirava o reflexo do seu rosto enquanto você afastava as minhas pernas.

Estava andando sob o calor escaldante de Istambul quando me deparei com uma barraca de pepinos. Um senhor descascava habilmente o legume e o vendia por alguns centavos. Pepinos pequenos, médios e grandes. Inteiros, apenas com sal. Não acreditei, era a primeira vez que via algo do gênero. No entanto, nada me era tão familiar. Pepino inteiro com sal, para ser comido como coelhos comem cenoura em desenho animado. Quando era pequena, não almoçava nem jantava se não houvesse um pepino de entrada, inteiro e com sal. No lanche da tarde, pepino. Por favor, eu quero um, disse ao senhor. De qual tamanho? Pequeno, respondi, costumam ser melhores, mais crocantes. Pedi para tirar uma foto ao lado dele, atrás da barraca. Ficou engraçada: o senhor estava sério, compenetrado, o longo bigode seguindo o contorno fechado da boca, e eu, uma boba, faceira com a descoberta. Comecei a pensar que sim, havia um sentido nessa viagem. O passado não era apenas do meu avô, não era apenas daqueles que tinham emigrado. O pepino comprovava.

Depois da morte da irmã, o caçula lhe escreveu ainda algumas cartas, todas manchadas pelo sangue seco de quem se fora. Eram cartas de dor, de lamento. E assim a passagem do carteiro se transformou numa espera indesejada. Até o dia em que o irmão escreveu não para falar da casa em luto, mas de uma decisão que tomara: vou ao Brasil, vou me juntar a você, é chegada a minha hora. A alegria lhe subiu ao peito, encheu seu corpo de um frescor leve, algo como um banho de chuva num dia quente de verão. Receberia Sabi na terra que era já a sua, e assim poderia ajudá-lo a se estabelecer, a crescer aqui como ele havia crescido. Sim, poderia ajudá-lo a ser alguém na vida, e isso o deixava entusiasmado. Enfim uma boa notícia!

No dia previsto, não foi ao trabalho, pediu para o funcionário tomar conta da loja (a essa altura já era dono da sua própria loja de ferramentas). Acordou cedo, tomou um banho, colocou seu melhor perfume, como se fosse ao encontro da mulher amada, e vestiu-se com terno e gravata, pois queria receber o irmão como ele merecia. Mal conseguiu tomar café, tamanha era a ansiedade que lhe remexia o estômago. Saiu de casa apressado, queria estar na Praça Mauá antes das dez, hora em que o navio aportaria. Ficou quase duas horas debaixo do sol escaldante, olhando ansioso para o horizonte, na tentativa de avistar uma embarcação grande como a que o trouxera anos antes.

Estava sonolento num banco da praça, quase dormindo, quando ouviu o apito que esperava: era ele, era seu irmão que chegava. Levantou-se e foi correndo até a beira do píer, queria vê-lo logo, acenar ao irmão para assegurá-lo de sua presença. Enquanto o casco do navio fazia ondulações na água do mar, ele balançava o braço e gritava seu nome: Sabi, Sabi. Com o chapéu de feltro na mão, o irmão respondeu ao aceno. Como estava mudado! Como tinha crescido, meu deus! Era já um homem!

Abraçaram-se durante longo tempo, beijaram os rostos melados, o suor escorrendo pelo corpo todo. Riam, choravam. Mazal tov, repetiam um ao outro, desejando a sorte futura, a sorte na terra nova. Sabi tinha o ar maduro, estava disposto a fazer o necessário para não se arrepender da escolha feita. Ele, seu irmão mais velho, estava orgulhoso, sentia-se um pouco pai do caçula. Sabia que teria muitas obrigações e cuidados em relação a ele, mas isso não o assustava, ao contrário, dava-lhe ânimo, uma felicidade que poucas vezes havia sentido.

Ajudou-o a carregar as malas e o acompanhou à imigração, onde Sabi preencheu todos os papéis e mostrou sua documentação. O irmão já era naturalizado, o que facilitava a aquisição do visto. Ainda assim, demoraram lá dentro, a fila era grande, e as perguntas, intermináveis. Mas, quando saíram da sala — os papéis do caçula nas mãos —, deixaram os aborrecimentos da espera e do calor lá mesmo. Tinham coisas demais a falar um ao outro para perder tempo com ninharias burocráticas. Ele queria saber como estavam pai, mãe e irmão; como tinha sido a viagem; se estava bem e disposto a começar a trabalhar no dia seguinte mesmo. Sabi queria saber como funcionavam as coisas no Rio de Janeiro; onde moraria; se era difícil aprender o português e se podia começar a trabalhar no dia seguinte mesmo.

Mas que não se afobassem, teriam ainda muito tempo para conversas e aprendizados. Tinham, juntos, um futuro pela frente, um futuro de muita sorte, de acontecimentos inesperados, de amores, de famílias formadas, de trabalho, muito trabalho. Um futuro também de perdas e dores, como todos os futuros. Mas que importância isso tinha naquele momento? Apenas queriam matar as saudades acumuladas, serem irmãos novamente, botar em dia o afeto distante. E planejar o futuro, mesmo que, mais tarde, ele viesse a ser completamente outro.

Não sei se houve um momento específico em que as brigas começaram. Talvez elas tenham sido sempre inerentes a nós dois. Da mesma maneira que não conseguíamos viver sem o corpo um do outro, tampouco conseguíamos viver sem brigar. Às vezes nos machucávamos. Quase sempre terminávamos. Quase sempre você terminava, porque eu não saberia o que fazer com o meu corpo sem o seu. Na verdade, você também não, mas fazia parte do seu teatro me mostrar que, ao contrário de mim, você poderia viver bem sozinho, você viveria melhor sozinho. Então, cada vez que percebia que eu estava apegada demais, você dizia: assim não dá, assim não quero, não sei o que fazer com tanta cobrança, precisamos de um tempo, precisamos viver cada um a sua vida. Eu me desesperava, eu berrava: mas a minha vida é a sua, a minha vida é a nossa. E durante horas continuávamos o que para um espectador seria apenas uma encenação, mas para mim era a própria experiência da morte. Até que chegava o momento em que, entre palavras de ódio, surgiam palavras doces. E essas palavras doces acabavam se transformando em beijos doces (desesperados), em toques doces (desesperados), em carinhos doces (desesperados). Então, fazíamos amor (doce, desesperado) como nunca antes. Devorávamo-nos como se tivéssemos acabado de nos conhecer, como se entre nós não houvesse rancores. Os corpos melados sobre a cama, o cheiro de sexo no quarto inteiro. Depois de muito tempo, decidíamos tomar um banho gelado, e era como se fôssemos duas crianças, como se nunca tivéssemos brigado, como se nunca tivéssemos terminado, como se sempre tivéssemos sido um do outro, como se fôssemos para sempre um do outro.

Na entrada, nenhuma das mulheres falava inglês. Estranharam a minha presença no local, o que ficou evidente em seus olhares tortos: não costumavam receber estrangeiras. Ainda assim não precisei de muitos gestos para fazê-las entender que eu queria participar do ambiente delas. Custei a descobrir um banho turco tradicional, frequentado apenas por muçulmanas. No ônibus, aproximei-me de uma moça e, timidamente, perguntei-lhe se poderia me indicar um hammam local. Isso é coisa de turista, as mulheres turcas há muito já não frequentam hammams, ela me respondeu com um largo sorriso, zombando da minha ignorância. Recuei, sem graça, e fui procurar um lugar na traseira do ônibus. Mas, antes de descer, como que arrependida por uma certa indelicadeza, ela me entregou um papel com um nome anotado: Yildiz. Lá, você ainda poderá encontrar o que está procurando, ela me disse.

A senhora da recepção apontou para a minha vestimenta, pedindo para tirá-la. Fiz como as duas meninas ao meu lado, tirei peça por peça, ficando apenas com a calcinha, e as coloquei numa das prateleiras de um peque no corredor que ligava a entrada e a sala do banho. Em seguida, surgiu uma mulher que arranhava algumas palavras em inglês perguntando se eu queria algum dos serviços que ela oferecia: massagem ou esfoliação. Faz parte da limpeza islâmica esfregar a pele para tirar o que está morto. Aceitei os dois. Ela me pegou pela mão e, juntas, atravessamos a cortina que dava para a sala do banho. Lá dentro, um choque: não tinha nada a ver com o que eu esperava. Claro que eu não imaginava encontrar nenhum padrão cinco-estrelas, afinal, tinha escolhido entrar num banho tradicional, mas também não imaginava que poderia ser tão desleixado e, principalmente, tão sujo. Fios de cabelo espalhados pelo chão, vidros vazios de xampu, embrulhos de sabonete e uma água escura que escorria pelo cômodo. Um calor infernal. Por um átimo, vacilei, quase dei meia-volta: a senhora me desculpe, I'm so sorry, mas tenho que ir, esqueci que tinha um compromisso. Controlei meu ímpeto e disse a mim mesma: se essas mulheres estão aqui, vivas e com uma aparência tão alegre, por que não eu? Se eu quisesse de fato experimentar o mundo delas, teria de deixar o meu na porta.

Como você se chama? Sihem. Como? Sihem. Foi preciso um certo esforço para que eu conseguisse, depois de três ou quatro tentativas, pronunciar corretamente seu nome. Ela sabia que eu estava nervosa, era evidente, o medo rasgava meus olhos. Eu seria capaz de me agachar naquele mesmo instante e me pôr aos prantos, pedindo para me tirarem de lá. Ela também sentia um certo temor, bem menor do que o meu, é verdade, e por isso quase podia escondê-lo. Vínhamos de dois mundos distintos, e a nossa falta de jeito — de uma com a outra — nos lembrava a cada instante que eu era estrangeira. Mas aos poucos fomos nos aproximando, rompendo a distância, e assim comecei a me sentir mais confortável, disposta a participar passo a passo do ritual.

Elas deveriam ser em torno de dez ou doze. Todas — sem exceção — me devoraram com o olhar. Riram entre si, cochicharam palavras que eu não podia entender. Não saberia definir se estavam contentes ou insatisfeitas com a minha presença. Mesmo sem querer, a verdade é que eu era uma intrusa. Sihem ainda me segurava a mão. Atravessamos o primeiro cômodo, onde o calor era mais ameno, e fomos ao segundo, onde se faz a esfoliação. Ela me deu um tapetinho de plástico para não ter contato direto com o chão. Sentei no tapete (não sem certo nojo) e abracei as pernas contra o peito. Enquanto eu aguardava, Sihem enchia um balde d'água, misturando a quente com a fria. De repente, sem que eu esperasse, ela jogou a água de uma só vez sobre mim. Perdi o ar com o líquido entrando nas minhas narinas e comecei a tossir. Ela nem se incomodou e continuou seu trabalho sem reticência. Com um sabonete em pasta, esfregou meu corpo: do rosto aos pés. Nesse momento, comecei a relaxar um pouco e até achei agradável a sensação provocada pelo sabão, que deixava a pele escorregadia. Em seguida, tomei outro banho de balde, mas dessa vez prendi a respiração, para não me atrapalhar novamente.

O que Sihem fazia comigo as outras faziam entre si: uma jogava água na outra, esfregava o corpo da outra, esfoliava a pele da outra. Apenas uma senhora, encostada à parede esquerda, tomava seu banho sozinha. Era rechonchuda, a barriga se desfazendo em dobras. Fiquei me perguntando se era por isso que ninguém a ajudava. Talvez. Mas talvez não. Será que era infeliz? Ou simplesmente gostava de estar sozinha? Para cada uma das mulheres que estavam ali, ao meu redor, pus-me a imaginar uma história: inventei maridos, traições, filhos, viagens, trabalhos, solidão; inventei tristezas e alegrias; invejei-as e me senti aliviada por não ser nenhuma delas.

Entre tantas mulheres, uma me prendeu a atenção. Morena, os cabelos compridos, a boca carnuda, mais jovem do que a maioria das mulheres presentes, ela se ensaboava como se acariciasse o próprio corpo. Não falava nada, mas interagia com quem fosse preciso. Eu não conseguia tirar os olhos dela. Corpo perfeito, como que esculpido. Os seios mais lindos que jamais vi, que jamais quis tocar. Mamilos pequenos e redondos. Corpo sensual em sua falta de vontade de ser sensual. Tentei disfarçar, mas ela percebeu. Tive medo de invadir seu espaço, de impor um olhar não desejado. Ela deixou claro que não, eu não impunha nada. Ao contrário, ela também me olhava, me examinava com o mesmo despudor. Em meio a corpos alheios à sexualidade, corpos que apenas se entregavam à limpeza, estabelecemos nosso laço.

Sihem balançou meus pés: lay down, que eu deitasse de barriga para cima, o que fiz sem vacilar. Ela se pôs a me esfregar com uma luva, arrancando minha pele. Pensei que fosse sangrar, tamanha a força com que me esfoliava. Com olhos de espanto e a mão agitada, pedi que fosse mais gentil. Ela riu, feito para dizer que eu não entendia nada. Ignorou meu pedido e continuou seu trabalho. Que eu não trouxesse meus costumes para lá: se a escolha era minha, que me deixasse levar. Ela não falou nada, mas também não precisava, simplesmente me conduzia a seu bel-prazer, pouco se importando se as minhas vontades eram diferentes. Então, decidi terminar o embate. Se continuasse a tentar me impor não chegaria a lugar algum. Perderia sempre. Que eu relaxasse de vez e aproveitasse a experiência. Até porque, depois de alguns esfregões, acabei me acostumando e já não sentia dor. Na perna, até era gostoso, fazia uma cosquinha agradável.

Quando terminou de me esfoliar, Sihem me fez levantar e olhar para o chão: espalhados, vários pedaços de pele, feito tiras de barbante. Está vendo quanto espaguete? Ri: espaguete? Até lembrava um pouco, mas era uma associação bastante estranha, imaginar que saíam espaguetes do corpo! Ela fez questão de mostrar que eu tinha muito mais pele morta do que as outras, como quem diz: está vendo como somos limpas?, o que me pareceu levemente irônico; afinal, quando chegara ali, tudo havia se revelado uma imundice sem tamanho, e, de repente, sou eu a acusada de falta de limpeza. Sou chamada de suja porque tenho mais "espaguetes" do que as outras!

Com o olhar ainda capturado pela beleza da menina que acabara de descobrir, fiquei imaginando como deveria ser tocar a sua pele viva, porque é verdade que depois da esfoliação ficamos com o corpo mais deslizante, macio. Nossa cumplicidade era explícita: ela ria da minha falta de jeito, do meu estranhamento diante de experiência tão nova; eu ria em resposta, contente por tê-la ali, no mesmo ambiente, como testemunha do meu primeiro banho turco. Ria da sua beleza, encantada com a sua ternura, quase a dar gargalhadas: nunca antes vira mulher tão bela.

De pé, tomei meu terceiro banho de balde. Já me sentia à vontade para esfregar meu próprio corpo diante de todas. Perguntei a Sihem se poderia, eu mesma, virar o balde sobre a cabeça. Ela o encheu novamente e me entregou faceira, satisfeita consigo própria, certa de que era uma conquista sua, eu estar curtindo o ritual. Vi que as outras mulheres me olhavam e, então, algumas começaram a me dar dicas, explicando-me com gestos como deveria fazer. Imitei-as com esmero. De repente, uma delas veio até mim, me entregou sua luva e pediu que esfregasse suas costas. Tremi: não tinha a menor ideia de como fazer aquilo. Tinha medo, só. Ela ficou esperando que eu a esfoliasse, como Sihem havia acabado de fazer comigo. Cansada de aguardar, virou o corpo, pegou a luva da minha mão e, fazendo gestos no ar, me explicou a tarefa. Nada complicado, bastava entrar no jogo. A luva era áspera e tinha de ser esfregada com força para fazer algum efeito. Tinha a sensação de a estar machucando, mas era evidente que não. Ela estava acostumada, provavelmente deveria frequentar o hammam uma vez por semana, como de costume na religião. Já estava começando a me cansar, quando ela me pediu a luva de volta, abrindo um sorriso de aprovação.

No outro cômodo, o calor era mais suportável. Foi lá que recebi a massagem. Deitada de bruços, sentia a mão de Sihem me relaxando os músculos. Eu estava tensa, como de hábito. A lombar dolorida, o pescoço e os ombros duros, pedras incrustadas no corpo. Você carrega o mundo nas costas?, ela me perguntou. Disse-lhe que sempre me perguntavam isso, mas não, não é o mundo: carrego meu passado, carrego uma história que é e não é minha, e por isso estou aqui, na Turquia. Contei-lhe que meu avô tinha emigrado de Esmirna. Que eu estava lá em busca do meu passado e da casa da minha família. Ela me escutou com atenção e foi como se, naquele momento, nos tornássemos iguais pela primeira vez. Então você é turca? Não exatamente. Você fala turco? Não. Nem um pouco? Não, nadinha mesmo. Ainda assim você é turca, tem cara de turca, eu já tinha reparado em seus traços. Crec, crec, alguns ossos estalados e uma respiração de alívio. Sua mão era um pouco pesada para meu corpo pequeno, me causando certo incômodo, mas eu não reclamaria de forma alguma, muito menos agora que o elo entre nós havia sido legitimado. Depois de eu ter contado os motivos de estar na Turquia, ela intensificou ainda mais a massagem, feito para fazer a sua parte na tentativa de me desvencilhar do passado. Sentia que ela não estava apenas distendendo meus músculos, mas também lutando contra tudo o que eu acabara de contar.

Estava deitada de bruços quando a menina se foi. Nem sequer pude dizer adeus, olhar em seus olhos uma última vez. Quando Sihem terminou a massagem, ela não estava mais lá. Procurei-a, tensa. Não, ela não poderia ter desaparecido assim. Como poderei prosseguir a viagem sem ela? Sem os seus seios que jamais toquei? Sem a sua boca que jamais beijei? Não, ela não poderia ter ido sem me dizer adeus.

Acho que Sihem ficou comigo mais do que o de costume: quase uma hora, imagino. Eu estava exaurida da viagem, de tantas novidades. Exausta só de pensar em tudo o que viria pela frente. Será que encontraria a casa dos meus antepassados? Que a chave ainda seria a mesma? Eu tentava acreditar nessa história que tinha inventado para mim mesma, nessa história que ainda invento e que é a única capaz de me dar alguma resposta. Nessa história que pode ser a mais descabida, mas também a mais real. Não sei até que ponto são verdadeiras as histórias do meu avô, até que ponto é verdadeiro o que vivo agora. Nem mesmo sei se é verdadeira a minha viagem. Parece que quanto mais me aproximo dos fatos mais me afasto da verdade.

Hoje me masturbei pensando em você com outra. Será que estou ficando louca, meu deus?

Já não estávamos no hospital, mas num hotel típico de uma cidade média dos Estados Unidos, onde tudo parece igual. Pensei que você ainda estivesse dormindo e, para não acordá-la, apenas espreitei por detrás da cortina. Do lado de fora, a cidade reluzia. Você ouviu meus passos pelo quarto e perguntou se eu estava de pé. Estou, já são quase nove horas, eu disse, olhando o relógio em cima da mesa de cabeceira. Você tinha os olhos fechados. Vou abrir a cortina, afirmei, está um dia lindo. Você não disse nada, e pensei que era eu quem não deveria ter dito. Vi você abrindo os olhos, e depois fechando, e depois abrindo de novo, e fechando de novo. Então me dei conta de que talvez não fizesse diferença, e percebi que seus olhos abertos não se fixavam em lugar algum, eram como duas bolinhas de gude perdidas, como um instrumento que você não sabia utilizar. Vi, e não disse nada. Fiquei observando e pensando que enquanto eu a olhava você não me olhava. Que nunca mais nos olharíamos nos olhos. Como num filme acelerado, comecei a imaginar tudo o que você não veria mais, nunca mais. O sol lá fora, as cidades do mundo, as pessoas caminhando, as pessoas esbarrando umas nas outras, apressadas ou a passeio, os cachorros, os pássaros, você nunca mais veria o Rio de Janeiro, Ipanema, Copacabana, a praia, o pôr do sol, a lua nascendo por detrás do mar, as árvores, você nunca mais veria filmes, nunca mais leria um livro. E, quando o meu cabelo crescesse ou quando eu o cortasse, ou quando comprasse uma roupa nova, ou quando engordasse, ou quando engravidasse, ou quando envelhecesse, você não veria, você não veria nada. Nunca mais.

Mãe?, eu disse num rompante, quase gritando, feito pedisse socorro. Eu disse: mãe?, quase chorando, quase desabando, como se precisasse da palavra para não desmoronar. Fale, você respondeu sem nenhum ânimo na voz. Acho que vou comprar algo para comer, um sanduíche ou um iogurte. O que você quer? Tanto faz, você respondeu, não tenho fome. Está bem, de repente compro uma fruta então, uma banana ou uma maçã, eu disse enquanto me vestia, os olhos cheios d'água. Só queria sair do quarto para poder chorar sem você me ouvir. E foi o que fiz, ainda no corredor do hotel, até o momento em que voltei trazendo dois sanduíches e uma banana. Não tocamos na comida, nem eu nem você. Quando cheguei, você ainda estava deitada na cama, na mesma posição, abrindo e fechando os olhos. Deixei o saco de papel em cima da mesa onde ficava a televisão e fui me deitar ao seu lado.

Mãe?, eu disse, dessa vez com a voz firme, como se o choro tivesse me levado o medo. Filha?, você disse, com os olhos completamente abertos, sem piscar. Você não enxerga mais nada, não é? Você não respondeu, simplesmente fechou os olhos, e era a sua boca que chorava, os seus lábios virados para baixo. Então a abracei com força, muita força, enquanto lhe dizia: vai ficar tudo bem, você vai ver. Enumerei todas as coisas que você poderia fazer mesmo sem enxergar: você ainda tinha muita música para ouvir, eu leria histórias para você, leria jornais, romances, poesias, poderíamos conversar muito, comer coisas gostosas, beber bons vinhos, você poderia me ditar tudo o que quisesse escrever, poderia imaginar todos os filmes que não veria, pois na sua cabecinha ainda poderia ver muito e muito, ver tudo o que quisesse. Assim, abraçadas, você em silêncio e eu enumerando tudo o que você poderia fazer, inventamos pela última vez o nosso mundo, criamos pela última vez o mundo onde viveríamos. Só que ainda não sabíamos que em duas semanas nos tirariam tudo, que em duas semanas você não poderia nem ver nem imaginar, nem ouvir música, nem experimentar bons vinhos, nem me abraçar, nem ouvir as tantas e tantas histórias que eu gostaria de lhe contar.

Tenho dois nomes anotados num papel: Raphael e Salomon. O sobrenome é como o meu, igualzinho. São eles que tenho de procurar quando chegar a Esmirna. Segundo meu avô, não deverá ser difícil encontrá-los, pois a comunidade hoje em dia é pequena e não faz muitos anos que ele teve notícias dos dois vindas de primos que moram na França. Sim, pode ser que os caminhos estejam livres e eu os encontre facilmente, mas e depois? O que devo fazer depois de encontrar seus nomes? Tenho receio de não ter o que falar, de não ter assunto algum para conversar com essas pessoas a respeito de quem não tenho a mais vaga ideia. Sei que de alguma maneira, em algum ponto qualquer, os nossos caminhos se cruzam na mesma árvore genealógica. Mas o que eles fazem? O que pensam? De que maneira vivem? Será que teremos afinidades, que teremos assuntos entre nós? Ou será que eles me serão tão estranhos como todos os que vejo caminhando nas ruas de Istambul, como as pessoas com quem esbarro ao acaso e que provavelmente nunca reencontrarei? Tenho receio, mas ao mesmo tempo estou ansiosa para saber o desfecho dessa viagem, dessa história que conto a mim mesma.

Quando você aproximou docemente os lábios dos meus ouvidos, sabia que me faria um pedido: amanhã, quero que você passe o dia na rua e só volte no início da noite. Quero que vista uma minissaia e não coloque calcinha. Assim mesmo: quero você toda nua por debaixo da saia.

Essa viagem é uma mentira: nunca saí da minha cama fétida. Meu corpo apodrece a cada dia, as pústulas corroem minha própria carne e em pouco tempo serei apenas osso. Tenho as pernas em chagas purulentas, a carne viva. Como poderia fazer essa viagem? Não tenho articulações, tenho os ossos colados uns aos outros. Sair do lugar é-me impossível. Só poderia sair da cama se carregada por alguém, mas quem iria levar nos braços corpo tão repugnante? E para quê? Tenho em mim o silêncio e a solidão de uma família inteira, de gerações e gerações. Como se toda a alegria que cada um viveu fosse se desprendendo leve no ar e ficasse apenas a tristeza. E como se essa tristeza fosse se acumulando, se acumulando até chegar a mim. Eu sou o resultado das dores de toda uma família. Quando nasci, meus pais me olharam e desde então souberam que eu era a tristeza e a solidão. Que depois de mim não haveria nada, porque depois da tristeza e da solidão não há nada. Desde pequena, quando alguém me olha, vejo o medo lhe tomar o rosto. Porque desde que vim ao mundo sou velha e carrego a morte estampada nos olhos. E quem me conhece, conhece também a tristeza e a solidão. E conhece o medo.

Nunca saí do lugar, nunca viajei, não conheço senão a escuridão do meu quarto. A chave que meu avô me deu descansa ainda ao meu lado, estirada na cama como parte do meu corpo podre. Estamos, as duas, com uma cor de bronze gasto, empoeiradas. Somos feito uma: tão enferrujadas que, nas mãos de alguém, seríamos apenas pó, carne e metal despedaçados.

[Você nunca pensa em coisas boas? Não tem sonhos?] Tenho, claro que tenho. Sonho que um dia um príncipe chegará montado num cavalo branco para me buscar. Não precisarei fazer esforço algum, ele saberá que sou a mulher por quem procura. Bastará nos olharmos para saber que fomos feitos um para o outro. Ele me pegará pela mão e me levará, a cavalo, para um lugar lindo, onde haverá uma grande festa, onde reencontrarei todos os que já partiram deste mundo e todos os que nele ainda estão. Lá, viveremos felizes, numa terra que não conhece a morte, não conhece o tempo, não conhece a dor. [Então você sonha?] Sonho, claro. Tenho ainda outro sonho, que nunca contei a ninguém. [E o que é?] Meu sonho, mãe, é escrever. [Escrever?] É, tenho esse sonho impossível: escrever escrever escrever.

Havia jurado nunca mais amar uma mulher e, apesar da vontade de desfazer a jura, foi o que acabou acontecendo. Quando viu Hilda no baile do clube, teve a certeza de que era com ela que construiria um lar. Junto com essa certeza, veio também a certeza de que cultivaria por ela carinho e admiração, mas nunca o amor de um homem e uma mulher. Era desajeitado, não sabia dançar, pisava nos pés de Hilda e ignorava que a música tinha um ritmo a ser seguido. O convite (vamos nos sentar um pouco?) era apenas uma maneira de se esquivar de outra atrapalhação. Hilda não era especialmente bonita — baixinha, as costas meio curvas, o nariz comprido, os dedos tortos —, mas tinha lá a sua graça, o charme de uma mulher sorridente, de bem com a vida. E foi isso que o encantou, queria alguém alegre ao seu lado, alguém que não tivesse vivido dores como as dele. Perguntou-lhe quantos anos tinha, se frequentava sempre o clube e se poderiam se ver na semana seguinte.

Na segunda vez que se viram, não dançaram uma música sequer, apenas conversaram. Ele lhe perguntou sobre a família, de onde vinha, a profissão do pai e onde moravam. Na terceira vez (novamente no clube), perguntou se era solteira. Na quarta (na Praça do Lido), se gostaria de se casar com ele. Na quinta (no Largo do Machado), se poderia falar com o futuro sogro, pedir a mão da filha. Na sexta (na casa dela), Hilda ficou de longe, observando o quase noivo trocar ideias com o pai. Na sétima, na oitava, na nona, na décima e na décima primeira, conversaram sobre o casório e sobre o futuro. Na décima segunda vez que se viram, ela bebeu do vinho que o rabino lhe entregou, e ele quebrou a taça, o barulho dos cacos no chão confirmando que estariam ligados para a vida toda, até que a morte dela os separasse.

E assim foi: ele e Hilda formaram um casal como muitos outros. Os negócios dele começaram a crescer, os lucros ficaram cada vez mais satisfatórios, e ele então decidiu aumentar a loja. Continuou na SAARA, onde estava desde o princípio, mas se mudou para um estabelecimento maior. Ela, em casa, dava início à primeira gestação: que fosse um varão, para continuar o empreendimento do pai. Ele contratou novos funcionários para atender à demanda da loja. Ela sentia enjoos — e sentia falta de alguém em casa. Ele virava noites na loja, tinha grandes ambições, queria crescer e crescer. Ela sentia a barriga crescendo em velocidade assustadora. Ele quase não a via, chegava a casa com cadernos de contas, a cabeça em outro lugar. Ela se emocionou na primeira vez que sentiu os pezinhos do filho lhe chutarem o ventre. Ele estava eufórico com o lucro da loja. Ela deu à luz num dia quente do mês de março. Ele estava lá, o coração palpitando, quando o médico saiu da sala para anunciar a boa-nova: era um menino, seu reino estava garantido.

Quando veio o segundo filho (uma menina), a loja já tinha uma filial em Copacabana, e a família se mudara para uma casa no Leblon — o que, na época, era um desatino: no Leblon? Mas é tão longe, tão deserto... A menina veio em boa hora, pois a mãe começava a sentir o corpo doer: falta de companhia. A filha seria uma verdadeira cúmplice, ao seu lado enquanto ela engomava os colarinhos, preparava a janta, desempoeirava a casa. O filho, por sua vez, já era um pequeno rei, exigindo a todo instante a atenção e os mimos da mãe.

Estavam bem de vida quando Hilda engravidou pela terceira vez: outra menina. Ele ficou um pouco decepcionado com a notícia, enquanto ela aprovou o que o destino lhe reservara: uma nova aliada na casa. Nessa época, a loja tinha mais três filiais espalhadas pela cidade, e não vendia apenas ferramentas, mas qualquer tipo de material de construção. O sucesso dos negócios garantia à família um carro importado, motorista, duas empregadas, colégio bilíngue para os filhos, aulas particulares de piano e de francês, entre tantas outras regalias. A menina que chegava veio aterrissar no seio de uma família que de tão bem-sucedida quase não se lembrava do passado. Imigração, Turquia, guerra e dificuldade eram palavras banidas do vocabulário da casa. Que ninguém falasse do sofrimento nem das arduidades que ele tinha vivido antes do casamento. Afinal, o importante era que agora estavam bem, com saúde, trabalho e harmonia. O resto era passado, e o passado deve ser silenciado, adormecido entre os fios da memória.

Ninguém se espantou quando Hilda ficou grávida pela quarta vez. Uma família em fartura devia proliferar sem pudor. O segundo menino veio ao mundo no último dia de um inverno atipicamente rigoroso no Rio de Janeiro. Mas chegou fraco, fraquinho, com os pulmões apenas esboçados, e assim não resistiu ao terceiro dia de existência. Não chegou a conhecer a casa e pouco conheceu o colo da mãe. O pai gritava pelos corredores, falava com os próprios botões, Mazal bajo, só pode ser castigo de deus. Sentia-se profundamente culpado, ainda que não tivesse culpa alguma. Deveria ser uma maldição divina por algum pecado seu. Mas justo o menino, repetia, sem medo ou vergonha de que as filhas o ouvissem.

Quatro anos se passaram em que reinaram o silêncio e o lamento. O fantasma do menino rondava todos os aposentos e, assim como o passado, seu nome era interditado. Se alguém lembrasse o ocorrido, mesmo que com uma breve menção, era o suficiente para provocar a fúria paterna, que se exaltava contra aquele que quebrara o silêncio. Como se falar fosse um desrespeito à dor. Até que, num outro dia de inverno, Hilda revelou que estava novamente grávida, teriam mais um menino, era certo.

Desconfiado de um segundo castigo divino, ele se controlou para não bradar contra os céus quando entrou no quarto do hospital e viu uma menina nos braços da esposa. Depois de um menino morto, uma menina. Ela estava ali, frágil, tentando sugar um pouco de leite da mãe, e nem imaginava o quanto teria de ser forte na vida. Era como se seu corpo guardasse um segredo que só seria desvelado anos mais tarde, quando começassem a aparecer os primeiros sinais da dor. Mas, mesmo depois de grande, já adulta, quando fosse enfrentar a ditadura e, mais tarde, o câncer, jamais perderia essa fragilidade que se podia perceber no seu corpinho de bebê.

O pai acreditava não amá-la, pois via nela a lembrança do filho morto. Foi só quando sentiu o medo de perdê-la (ela já na prisão), que ele então entendeu que seu amor era antigo e que os laços que os uniam tinham sido atados no hospital, no mesmo dia em que ele insinuou maldizer o destino por ter lhe trazido mais uma menina.

Quando você aproximou docemente os lábios dos meus ouvidos, sabia que me faria um pedido: pense numa mulher. Fechei os olhos e busquei na memória algum corpo feminino que me excitasse. Pensou?, você me perguntou com os dedos desbravando meu sexo. Calma, respondi, sendo imediatamente surpreendida pelo seu rosto entre as minhas pernas. De olhos fechados, pensava nos seios mais lindos que jamais vi, que jamais quis tocar. Mamilos pequenos e redondos. Você, seguro de que eu pensava numa mulher, talvez pensasse nela também. Na mesma ou em outra. E assim fizemos amor durante horas, incansáveis, por todos os cantos da casa, melando o corpo um do outro, o mesmo corpo. Em seguida, nos deitamos na cama e você se pôs a perguntar em quem eu tinha pensado, se ela existia, como ela era. Loura? Morena? Se eu já tinha feito amor com alguma mulher, se tinha tesão por mulher. Então recomeçamos tudo, você excitado com as minhas respostas, eu excitada em lhe contar as minhas histórias, inventar histórias.

Foi a primeira vez que rezei. Nem sabia o que fazer, como fazer, mas rezei: pedi a deus que, se ele existisse, o telefone não tocasse. Rezei baixinho, sussurrando para dentro, com as mãos coladas uma à outra e depois ao peito. Pedi que o telefone não tocasse nunca nunca, que eu não tivesse de dizer alô, ouvir a pessoa do outro lado dizendo que aconteceu. Pedi: não toque não toque não toque. Pedi: por favor, se o senhor existe, não a tire de perto de mim. Por favor, faça com que o telefone não toque nunca nunca. Mas tocou: uma, duas, três, quatro, cinco, seis, sete, oito, nove, dez, onze, doze vezes, eu contei, dizendo a mim mesma: não está tocando, eu não estou ouvindo, não está tocando. Depois parou, e por alguns segundos acreditei que não tivesse tocado. Até o momento em que ouvi uma voz vinda do interior do apartamento, um berro, um grito de desespero, e pensei: ele não existe, deus não existe. Era o telefone, sim, ele tinha tocado, já não havia volta. Eu não dissera alô, não ouvira a voz do outro lado, mas tudo tinha acontecido. Meu corpo esmorecia, meu tronco vergava sobre minhas pernas, senti que perderia os sentidos e então, como se me segurasse ao último pedaço de corda, berrei também, fazendo eco à voz que vinha do outro cômodo. Gritei uma lamúria, um uivo trôpego, uma voz em ruína.

Já não podia fazer nada, nem mesmo rezar.

Estou indo rumo ao centro quando os cabelos pretos e compridos de uma mulher do outro lado da rua me chamam a atenção. Será ela? Sua beleza não sai de meus pensamentos, estou obcecada por sua imagem. Sim, é ela, pensei, a mulher do hammam. Hipnotizada, atravesso a rua sem olhar para os lados, apressando-me para não perdê-la de vista. De manhã, são tantas as pessoas na rua que não seria difícil isso acontecer. Esbarro na gente que anda, tropeço, aflita em seguir seus passos. Quando ela sai da multidão e vira à esquerda numa calçada larga, penso, com alívio, que não me escapará. Ela veste uma saia comprida e uma camiseta sem manga. Embaixo do braço, uma pasta não muito grande nem muito pequena. Já não estamos distantes.

Ao atravessar a porta que separa um grande muro do resto da cidade, percebo que acabamos de entrar no Grand Bazaar, uma espécie de bairro, com ruas e esquinas. Mas um bairro onde só há lojas, enfileiradas uma após a outra. Não é preciso muito tempo para que os comerciantes comecem a me chamar para seus negócios. Espanhola? Italiana? Portuguesa? Ou então os mais engraçadinhos: chinesa? japonesa? Ela caminha com pressa, alheia ao que está em volta. Aperto o passo e me posiciono à sua frente, na diagonal. Quando olho para trás, na certeza de rever o olhar do outro dia, não posso esconder a decepção estampada no rosto. Ela me encara, olha com firmeza nos meus olhos, como quem diz: está olhando o quê? Não me intimido, apenas respondo com um olhar frustrado.

Fico perdida no meio do bazar, como um cão sem dono. Escuto as vozes dos comerciantes vindas de todos os lados. Querem atrair os possíveis compradores. Eles permanecem, todos, do lado de fora da loja, tentando chamar a atenção de quem passa. Quando alguém se interessa, eles entram para mostrar os produtos, dispostos a desvelar os segredos e as qualidades de cada objeto.

Uma loja me chama a atenção pelas cores, a iluminação. Só há candeeiros, de todos os tipos, todos os formatos. Alguns para a mesa, outros para pendurar, outros para descansar no chão. São lindos, feitos como uma espécie de mosaico em vidro, alternando as cores, vermelho, azul, verde, laranja, amarelo. São pequenos hexágonos em vidro unidos por uma espécie de gesso. Ao contrário das outras lojas, essa tem velas acesas em quase todos os candeeiros, dando um efeito especial, que atrai os possíveis compradores. Fico admirando o conjunto na entrada, e um senhor aparece para me dar bom-dia. Ele me diz que há diferentes tipos no interior e me convida a entrar. Aceito. A loja é pequena, mas uma graça. Os objetos estão muito bem dispostos e fico realmente encantada com o que vejo. O senhor me observa, mas não fala nada. É difícil escolher, são todos lindos e ao mesmo tempo parecidos. Escolho um quase aleatoriamente e pergunto o preço. É um candeeiro de pendurar no teto, parece uma luminária antiga, me faz pensar nos palácios que visitei. Trinta euros, ele me responde. Sorrio, penso, digo: não tenho euros, sou brasileira. Já haviam me alertado de que não se compra nada sem barganhar, o preço que eles dão nunca é real. Trinta e cinco libras turcas, ele diz. Insisto: é caro. Trinta, ele diz. Vinte, eu digo. Vinte e cinco, não posso fazer por menos. Está bem, concordo, vinte e cinco.

Saio da loja com o embrulho dentro de um saco plástico e continuo o passeio casual pelo bazar. As mais bonitas são as lojas de especiarias com sacos enormes repletos de pimenta, açafrão, páprica, ervas, frutas secas, azeitonas, pistaches e uma variedade enorme de doces turcos. Faço como muitos, experimento um pouco de cada coisa e, no final, levo um pacote de uma espécie de jujuba de pétalas de rosa para me acompanhar no passeio.

Continuo caminhando, fascinada também com as lojas de prata e ouro. Algumas parecem ser muito caras, muito chiques. Outras parecem vender apenas bijuteria, embora me garantam ser tudo legítimo. Há muitas joias que se repetem, o mesmo desenho: com pedras vermelhas, azuis ou verdes, e fios de prata bordada caindo dos brincos ou dos colares. Há um anel que se chama anel do harém: são quatro tiras finas de prata ou ouro com pequenas pedrinhas coloridas formando uma peça relativamente grande. Pergunto por que tem esse nome, e me respondem que dá sorte no amor, ajuda a arrumar marido. Sorrio. Passo por muitas e muitas lojas. O difícil é sair delas, pois os vendedores insistem, argumentam, barateiam, e não se conformam se não levo nada.

Mas de repente, numa dessas lojas, um anel grande e comprido, oval, feito com prata escura, imitando coisas antigas, e uma pedra verde no centro, me chama a atenção. Pergunto se a prata e a pedra são legítimas, e o vendedor me assegura que sim. Só tenho a palavra dele e decido confiar nela. O anel está ligeiramente folgado, mas o rapaz diz que pode ajustá-lo. Pergunto para quando, e ele responde que para o mesmo dia, no fim da tarde. Quando vai medir meu dedo, vê na outra mão o anel que levo comigo. É bonito, ele diz. Onde comprou? Era da minha mãe e, se não me engano, ela o comprou no Egito. Você está vendo esses buraquinhos todos? Pois então, em cada um havia uma pedra verde. Se quiser, posso colocar novas pedras, ele me oferece. Hesito, tenho medo de não ficar bonito. Não sei, quando o ganhei, ele já era assim, afirmo. E na verdade gosto das coisas que se foram, que não estão mais aqui. Gosto das ruínas, dos segredos do passado. Não gosto das coisas restauradas, como se tivessem sido construídas ontem, mas das marcas, dos vestígios. Depois acrescento: minha mãe comprou esse anel há mais de trinta anos. Será que o meu também vai durar tanto? Eu gostaria de dá-lo à filha que um dia terei. Ele me diz que sim, garante que durará muito tempo. Só não sei quanto à pedra, ele brinca, isso não posso garantir. E rimos os dois.

Quando você aproximou docemente os lábios dos meus ouvidos, sabia que me faria um pedido, por isso me afastei, estava cansada dos seus pedidos. Você disfarçou, fingiu que não tinha percebido meu gesto e tentou se aproximar novamente. Eu disse não, não quero, estou cansada dos seus pedidos. Você me apertou os pulsos, segurando-os com uma única mão. Assustada, gritei: solte-me! Você não me soltou. Com a ponta fina de um lápis que encontrou largado ao seu lado me rasgou a pele do braço. Um filete de sangue escorreu, manchando o sofá onde eu estava sentada. Berrei feito louca. Que você era um psicopata, doente mental, que batia em mulher, que eu ia à delegacia, que o odiava, tinha nojo, azia. Que você era um crápula, um animal, não era gente. Quando você me soltou, empurrei seu corpo com toda a força que encontrei e, com o indicador quase a esfregar seu rosto, disse sem pestanejar: da próxima vez arranco seus olhos. Os dois.

O rosto azul pálido de um defunto, as narinas tampadas com duas bolinhas de algodão, o sorriso derradeiro da morte são coisas que só posso imaginar. Nunca vi um morto, não cheguei a vê-la morta. Vi-a moribunda, a garganta seca a pedir água, a enfermeira a me dizer que eu não poderia lhe dar água, você a me pedir água: tenho sede. E eu, tonta, com medo de lhe dar água e lhe fazer mal, com medo de não lhe dar água e você morrer de sede, perdida no meu medo de menina prestes a perder a mãe, sem saber como agir (se houvesse uma única dor no mundo, seria a dor de ver alguém a quem se ama sucumbir e não poder fazer nada). Você ainda estava aqui, o ar ainda entrava e saía dos seus pulmões, mas eu sabia que em pouco tempo não estaríamos mais juntas, que em pouco tempo a mão morna que eu segurava esfriaria e se tornaria tão indiferente ao meu calor quanto uma pedra. O médico já tinha me alertado: é só uma questão de tempo. Ele não dizia: a sua mãe morreu. Dizia: a sua mãe vai morrer, ela está viva, ela respira, seu coração bate, seu sangue circula, seus olhos abrem e fecham, mas em pouco tempo tudo isso será apenas memória, em pouco tempo seus órgãos vão parar de funcionar e a sua mãe vai morrer, é só uma questão de tempo. Eu tinha vontade de responder: mas ela está aqui, ela respira, ela vive, então ainda há tempo, não para esperar a morte, mas para fazer algo que evite a sua partida. Veja bem, é quase lógico: se ela está aqui, então pode continuar aqui. Mas eu sabia que não havia lógica nenhuma nesse raciocínio, que na verdade isso não era um raciocínio, era o meu desejo tolo, o meu medo gigante de perdê-la.

Voltei a casa com as olheiras quase a alcançar o chão, as costas vergadas me transformando em gancho. É só uma questão de tempo, ressoava a voz do médico nos meus pensamentos. Não a vi morrer, não a vi morta. Foi o telefone tocando que me avisou que nunca mais olharíamos uma no olho da outra, que nunca mais trocaríamos carinhos nem palavras de amor. O telefone e o grito de dor que veio de algum canto da casa. Depois só fomos nos encontrar no dia seguinte, já no cemitério, você dentro do caixão de madeira polida, a tampa fechada, porque enterramos os corpos nus: que eles voltem à terra da mesma maneira que vieram ao mundo, que o fim seja igual ao começo. Eu queria abrir o caixão: tirem a minha mãe daí, mas não me ouviram, não quiseram me ouvir. E por isso não a vi morta, apenas vi o caixão que a levava para debaixo da terra e que daquele momento em diante seria a sua nova morada.

Depois de uma longa noite de insônia, chego à conclusão de que não tenho mais nada a fazer em Istambul, embora ainda haja muitas coisas para se fazer. A cidade é linda, eu poderia ficar aqui muitos dias, mas a verdade é que quanto mais eu fico, mais me distancio do objetivo da viagem. Desço as escadas que me levam à recepção e, lá mesmo, peço ajuda para contatar uma companhia aérea: quero ir a Esmirna ainda hoje.

Não tenho muito tempo até a hora de sair para o aeroporto. Decido dar uma volta perto do hotel, tomar um suco de laranja e me despedir dessa cidade que já é um pouco minha. O sol está mais forte do que nos outros dias, e tudo me parece ainda mais turquesa do que de fato é. Gosto de ficar olhando o rosto das pessoas, as expressões de cansaço, de ânimo, de alegria, de tristeza, de tédio. Apesar da variedade de traços e das diferenças culturais, tenho a sensação de que todas são uma só, de que não tem a menor importância se estou em Istambul ou no Rio. Posso estar equivocada (muitos me diriam isso), mas é o que penso enquanto tomo meu suco sentada ao ar livre, numa ruazinha que cruza a rua do hotel.

Sem pressa, pago ao moço que me serviu e volto para o quarto, quero ligar para meu avô antes de deixar a cidade. Nos falamos assim que cheguei e depois não mais.

Imagino que esteja ansioso por novidades. Ele, mais do que ninguém, torce para que a viagem dê certo; afinal, é ele quem me acompanha, a sua história, a sua memória. Do outro lado da linha, escuto a sua voz animada: como está a minha misquitraca? Bem, estou bem. Cheia de novidades para contar, encantada com Istambul. Então me conte. O que tem visto? O que tem feito? Tantas coisas... Relato tudo, conto cada detalhe das coisas que vi, dos cheiros e sabores que experimentei, das cores da cidade, das pessoas. Enquanto me escuta, ele também expressa sua alegria, como se estivesse no meu lugar. Já estamos prestes a desligar quando me pergunta: e a Esmirna, quando é que você vai? Pois é, foi por isso que telefonei, para lhe dizer que estou indo hoje mesmo. Seu silêncio me incomoda: nenhum sinal de entusiasmo? Mas logo em seguida uma voz rouca, porém segura, surge como se vinda de um lugar distante: que bom, querida, que bom. Desligamos o telefone, e chamo o recepcionista, que ele peça o táxi, não vejo a hora de embarcar rumo à cidade que me espera.

Quando o rabino se aproximou com a tesoura, apontei o dedo para o coração e disse: aqui. Eu deveria, em memória do defunto, usar a blusa preta, um corte do lado esquerdo, durante sete dias. E depois jogá-la ao mar. Não sei se por medo ou fadiga, carrego ainda hoje a blusa em meu corpo.

Quando ela chegou, ele pensava na vida, o corpo derramado na cama, o cigarro queimando solitário no cinzeiro. Levantou-se num ímpeto: então, como foi? Ele tinha ficado em casa (não podia estar dando bobeira na rua) enquanto ela fora à reunião. Sem grandes novidades, ela respondeu com uma voz monocórdia, a planilha de sempre. Ele suspirou aliviado, tinha receio de notícias ruins, e disse: vamos comer algo. Foram juntos à cozinha fuxicar o armário em busca de um macarrão e um molho de tomate. Já estou farta de comer sempre a mesma coisa, de não poder ir a restaurantes, de ter que ir ao supermercado afobada, fugindo dos olhares alheios, me escondendo o tempo todo. E temos outra escolha?, ele questionou. Podemos sair do país, ela disse, não percebe que a cada dia a situação fica mais acirrada? Quantos amigos temos na prisão? Hoje mesmo na reunião anunciaram o nome de um tal Humberto, você o conhece? Esse, pelo que entendi, se for pego está morto, ela disse. Ele estremeceu. Você viu onde coloquei o cinzeiro? Acho que está na sala. Coxo pelo pavor, saiu da cozinha à procura do cigarro, as pernas tropeçando em si mesmas. Ela continuou falando com ele, falando sozinha. Que não aguentava mais a clandestinidade, não era essa a vida que tinha sonhado para si.

Trouxe numa bandeja os pratos de macarrão. Ele já tinha fumado três cigarros, um atrás do outro. O rosto pálido, lívido, a gotejar suor. Ela nem percebeu, estava absorta em sua ideia de sair do país. Com a cabeça baixa, ele sussurrou algo que ela não compreendeu. O que você disse? Ele levantou o rosto e repetiu: sente-se aqui, ao meu lado. Nessa época, moravam num quarto e sala na periferia da cidade, um apartamento arranjado pelo próprio partido. Nada do que ali estava era deles senão as roupas. Ela sentiu a mão fria do marido segurando a sua como a de um menino que tem medo de temporal em noite sem lua. Sentiu que o coração dele palpitava, e o seu acelerou igualmente: o que foi? Ele não respondeu, vergando novamente a cabeça. O que foi? Calma, ele disse, tenha calma. Preciso lhe dizer uma coisa, mas, por favor, não me odeie, não me leve a mal. Depois lhe explico tudo com tranquilidade, mas agora o que importa é que você saiba disso, que você me entenda, que aceite eu ter mantido um segredo esse tempo todo. Seus olhos silentes diziam o que a sua voz não era capaz de dizer, e quando ele sussurrou: pequena, o Humberto sou eu, ela estava com a cabeça baixa, as mãos tapando os ouvidos para não ter de ouvir o que já tinha compreendido.

Lá fora a chuva é fina. Ainda nem consegui ter uma ideia de como seja a cidade. O avião atrasou quase quatro horas, e passei mais tempo à sua espera do que dentro dele. Quando cheguei a Esmirna já era noite, e por isso apenas peguei um táxi para o hotel. A viagem me deixou exausta, o corpo moído, os ombros duros. É difícil saber se foi a espera pelo avião ou a ansiedade de chegar logo ao fim dessa história o que me trouxe novamente dores no corpo. No saguão do aeroporto, às vezes pensava que seria um bom desfecho se eu simplesmente fosse impossibilitada de vir a Esmirna por um mau tempo ou algo do gênero. Mas, no final das contas, acabei embarcando, e aqui estou, na cidade de onde saiu a minha família.

Tenho já comigo uma lista telefônica (a recepcionista se mostrou surpresa com o meu pedido, mas também solícita: se precisar de ajuda, posso lhe ensinar como procurar o que deseja), porém tenho de me preparar, pois se porventura não encontro nenhum dos nomes que procuro, não tenho dúvida de que meu corpo paralisa aqui mesmo, e volto a ser o bloco monolítico de antes da viagem. O quarto tem alguns requintes, e não hesito em usufruir do que posso. Um banho de banheira é um bom pedido para meus músculos empedernidos. Deixo a água quente escoando enquanto desfaço a mala. Quando a banheira está quase repleta, mergulho o corpo lentamente: pés, pernas, quadril, tronco, até o momento em que afundo a cabeça na água quente, quase pelando. Sinto os músculos soltando feito gelo da forma em contato com a água. Escuto até o barulhinho, crec, crec, dos ossos que estalam. Penso que não há nada como descansar o corpo dentro da água quente. Parece que tudo o que acumulei até aqui se desprende e escorre para fora de mim. Nem sei quanto tempo passa enquanto permaneço abandonada na banheira, quase sem pensar em nada, quase dormindo, deixando que a água faça o que não sou capaz de fazer.

Só depois de vestida é que sento na cama, as costas apoiadas na parede e a lista telefônica no colo. Procuro a letra "s" — apesar de algumas diferenças, o alfabeto turco é quase igual ao nosso — e, os olhos acompanhando o indicador, chego cada vez mais perto do meu próprio sobrenome. Respiro fundo, tenho medo de que o coração ultrapasse a garganta. Lá está ele, igualzinho ao nome impresso na minha carteira de identidade. Procuro pelos nomes que meu avô me deu e encontro três vezes Raphael, e Salomon, apenas uma. Anoto num papel seus telefones e endereços. Será que são eles os primos por quem procuro? Um frio sobe pela minha garganta, e sinto vontade de voltar à banheira e não sair mais de lá. Olho no relógio: quase onze da noite, tarde demais para ligar para pessoas desconhecidas, apesar da suspeita de fazermos parte da mesma família. Melhor deixar para amanhã, digo a mim mesma, enquanto meus olhos fecham lentamente, sem esforço algum.

Quando você aproximou docemente os lábios dos meus ouvidos, tive medo, muito medo. Tremi. Tire a roupa. Tire a roupa toda e me espere na cama, você ordenou. Acuada, obedeci. Nesse dia você me possuiu de maneira que eu nem sabia existir. Nesse dia descobri que não era amor o que sentíamos.

Primeiro o pão ázimo, seco, sem gosto, para lembrar o sofrimento do povo expulso vagando pelo deserto. Depois, a maçã com mel, para não passar fome, não viver na miséria, para ter um ano doce. Mergulho o naco de maçã no pote de mel, cubro-o por inteiro, quero um ano doce, bem doce. Estou cansada de mastigar farinha com água. Não somos muitos em volta da mesa, talvez sete. O pão circula, e cada um pega um pedaço, enquanto repete: el pan de la afriisyon ke komyeram nuestros padres em tyeras de Ayifto. Em seguida, a maçã: Shanah Tova. Não havia nada de religioso no ritual. Para mim, faltava sempre alguma coisa. Faltava verdade. Tudo não passava de uma grande encenação: éramos judeus um dia por ano. Festejávamos o ano-novo, mas para nós o ano só começava no dia primeiro de janeiro. O ano nunca começou em setembro ou outubro. Então, por que a celebração? Por que esse teatro para nós mesmos? [Não entendo por que dizer que não havia verdade. Deus não estava na mesa, concordo, foi a nossa escolha. Não era a religião o que nos importava, mas a tradição. Não queríamos simplesmente jogar na lata de lixo aquilo que nossos antepassados se esforçaram para guardar. O importante era manter a simbologia. Eu queria transmitir um pouquinho do que aprendi para os que vieram depois.] Eu sei. Entendo seu gesto, entendo sua intenção. Romper definitivamente com o passado é mais difícil do que imaginamos, gera culpa, uma culpa que pode se tornar mortal. Penso que é por isso que somos judeus mesmo quando não o somos. Dizemos que se trata de uma questão genealógica, mas é sobretudo uma questão de medo: temos medo de esquecer o passado e ser responsáveis por isso. [O passado não é para ser esquecido.] Se não esquecemos o passado não vivemos o presente. Você sabe, essa dor que sinto no corpo, os ombros pesados, é o passado não esquecido que carrego comigo. O passado de gerações e gerações. [Não, minha filha, o que você suporta em seu dorso frágil são os silêncios do passado. Você carrega o que nunca foi falado, o que nunca foi ouvido. O silêncio é perigoso, eu a alertei.] Mas a culpa não é minha, não fui eu quem guardou os segredos. Eles chegaram a mim sem licença, e eu nem os conheço. [Sim, você os conhece: seu corpo conhece todos os segredos, todos os silêncios, muito mais do que você imagina.] Você confirma então que se trata de uma herança? Que herdei da família todas as dores? Que belo presente! [Não se irrite, de nada adianta. Tampouco se ausente de sua responsabilidade. Você também é responsável pelo seu passado, é responsável pelo que carrega nas costas e, principalmente, pela maneira como o carrega. Existem diferentes formas de lidar com a herança, e você certamente escolheu uma das mais pesadas, mais doloridas.] Não escolhi nada, já disse: vim ao mundo com esse fardo. [Eu estava lá quando você nasceu e me lembro bem: você era um bebê gorducho e fofo, não havia nada de pesado em seu corpo mole.] Não seja irônica, você sabe do que estou falando. [Não se trata de ironia. Quero apenas que tente enxergar as coisas como elas são, que acredite nessa viagem, que acredite que pode e merece ser feliz. Quero que entenda que não precisa ter a família nas costas, que pode se livrar do passado. Mas para isso não pode ignorá-lo: pelo simples fato de que você nunca o ignorou até agora e, por isso, precisa entendê-lo, precisa nomeá-lo.] Já o nomeei: o passado se chama medo. [Nunca conheci ninguém tão cabeça-dura. Mesmo quando você toma decisões, sempre as está questionando. A cada passo que avança, parece que recua outro. O passado não se chama medo. Não questione tanto, minha filha, apenas prossiga a viagem e verá as surpresas que a aguardam, verá o quão leve a vida pode ser.] Você me diz isso agora, mas não se esqueça de que foi você quem me ensinou que antes da maçã doce precisamos comer o pão seco. [É assim mesmo. A matzá serve para nos lembrar do passado sofrido. O pão seco fala da dor, da miséria. E a maçã com mel garante que não precisamos repetir o passado.] Se falam do passado, então por que trago comigo seus silêncios? [Compreendo suas inquietações. Há muitas coisas que não foram ditas, e são elas que a ameaçam. O medo impediu a palavra. Mas agora cabe a você, cabe aos que ficaram, contar a história, recontá-la. Cabe a você não repetir os mesmos erros, cabe a você falar em nome daqueles que se calaram.]

Conto (crio) essa história dos meus antepassados, essa história das imigrações e suas perdas, essa história da chave de casa, da esperança de retornar ao lugar de onde eles saíram, mas nós dois (só nós dois) sabemos ser outro o motivo da minha paralisia. Conto (crio) essa história para dar algum sentido à imobilidade, para dar uma resposta ao mundo e, de alguma forma, a mim mesma, mas nós dois (só nós dois) conhecemos a verdade. Eu não nasci assim. Não nasci numa cadeira de rodas, não nasci velha. Nenhum passado veio me assoprar os ombros. Eu fiquei assim. Fui perdendo a mobilidade depois que o conheci. Depois que o amei: depois que conheci a loucura através do amor, o nosso. Foi o amor (excedido) que me tirou, um a um, os movimentos do corpo. Que me deixou paralisada nessa cama fétida de onde hoje não consigo sair.

Estavam já prontos para dormir quando ela afirmou, contundente: consegui asilo na embaixada da Costa Rica. Ele fingiu não escutar. Ela repetiu: consegui asilo na embaixada da Costa Rica. Ele continuou fingindo não escutar. Ela disse: já não posso viver escondida. Vamos fazer como tantos outros. Já resistimos mais do que a maioria, são quatro anos de clandestinidade. Você não percebe que não há mais esperança para nós aqui? Quando a situação melhorar (um dia vai melhorar, tenha confiança) nós voltamos. Ele se deitou debaixo da coberta, continuava fingindo não escutar. Ela se irritou: não vou ficar falando para as paredes. Se não quiser vir comigo, irei sozinha.

Poucos dias depois da sua morte, o médico telefonou para saber como tinha sido a nossa volta ao Brasil, se estava tudo sob controle. Não, eu disse, não há nada sob controle. Não há mais nada que se possa fazer, nem eu, nem você, nem o melhor hospital do mundo. Ele vacilou, gaguejou, depois ficou em silêncio. Tive receio de ouvir minha condenação pela sua voz. Achei que ele fosse dizer que a culpa era minha, que eu havia transgredido as regras, deitado na cama ao seu lado, que não tinha usado máscaras nem luvas, que não havia passado álcool suficiente no cateter antes de injetar a medicação (lembra que quando saímos do hospital eles me treinaram para ser a sua enfermeira particular?). Achei que ele fosse dizer que se eu tivesse seguido uma por uma as suas indicações você não teria partido. Quando ouvi seu silêncio, tive a certeza de que ouviria a minha sentença: culpada. Mas não, o que ouvi foram palavras inesperadas, palavras doces e carinhosas. Ele tinha se envolvido, mãe, sua carapaça de médico tinha dado lugar a um homem enternecido.

Para não me atrapalhar, anoto num papel o que devo dizer: quem sou, de onde vim, por que estou ligando, o que quero. Prefiro começar telefonando ao Salomon, já que seu nome só consta uma vez na lista. Meu corpo está frio, as mãos suam e tremem. Toca, toca, mas ninguém atende. Ligo novamente. Depois de certa insistência, uma voz feminina responde. Pergunto se sabe falar inglês. Ela desliga o telefone na minha cara. Minhas mãos suam e tremem ainda mais. Que vontade de desistir, de não ter que passar por isso! Respiro fundo, telefono uma última vez, e a única coisa que digo é Salomon. Ela fala alguma coisa em turco, e não entendo nada. Repito Salomon, e ela, obviamente, continua falando nessa língua que me é completamente estranha. Arrisco de novo a perguntar se fala inglês, e ela volta a desligar o telefone na minha cara.

Não vai dar certo, penso comigo mesma. E nessa onda de pessimismo fico me chamando de ingênua, me perguntando como pude acreditar que essa procura pelos antepassados poderia ter algum sucesso. Afinal, se não falo turco, como poderei me comunicar com eles? Pego o telefone, mas dessa vez para ligar para o Brasil: vovô, achei os nomes na lista telefônica. Liguei para a casa do Salomon, mas quem atendeu foi uma mulher que não entendia inglês e ficou falando em turco comigo. E eu lá entendo alguma coisa de turco, vovô? Ele começa a rir, e eu, furiosa, retruco: qual é a graça? Com sua voz doce, ele acaba conseguindo mudar meu humor, me convencer de que esses empecilhos fazem parte da viagem, que ele nunca tinha imaginado que seria simples e que o mundo não havia acabado, nem acabaria amanhã: calma, minha misquitraca, ainda é cedo para se sentir derrotada. Mas como vou fazer para falar com eles? Tente em francês. Todos nós estudamos em escolas francesas. E se ainda assim não conseguir, tente em português mesmo, ou no que você souber de espanhol, pois certamente todos falam ladino, que é uma espécie de espanhol antigo. Está bem, eu concordo, mas tenho que ligar para três Rapha éis diferentes, até descobrir qual é o certo. Veja se algum deles mora em Bornava, diz meu avô, e, se sim, tente esse em primeiro lugar.

Nenhum dos três mora onde meu avô indicou, terei que contar com a sorte. Escolho o do meio e telefono com os dedos cruzados, espero que dessa vez eu consiga. Uma voz jovem atende e, para meu alívio, afirma saber francês. Digo que quero falar com o Raphael e, quando ele me diz ser o próprio, desconfio ter escolhido o Raphael errado. Mas não desisto e digo: vim do Brasil, estou à procura de um primo do meu avô, que tem o mesmo nome que você, mas como não tinha o número de telefone dele tive de olhar na lista telefônica. Então, encontrei três nomes iguais, e você é o primeiro para quem estou ligando. Ele pergunta meu nome e o do meu avô. Parece surpreso, não devia estar esperando um telefonema tão inusitado. Meu avô também se chama Raphael, ele diz, e é verdade que tem primos no exterior, que viajaram há muitos anos. Ele se oferece para telefonar ao avô e tentar descobrir se é ele quem procuro. Acho ótima a ideia, assim não preciso começar tudo de novo. Então me deixe o telefone de onde está e, assim que souber de algo, telefono para avisar.

Quando coloco o aparelho no gancho, sinto o corpo relaxar, penso que devo estar no caminho certo. Agora, sim, repito em silêncio e, sem acanhamento, sorrio para mim mesma.

Nenhuma palavra dói mais do que a ausência de palavra. Você não é tolo e sabia muito bem disso. Você me impunha um silêncio devastador. Sumia, não dava notícias, fazia de propósito, queria me ver chegar perto da morte, paralisada, sem forças. Eu esperava o telefone tocar, ele não tocava. E se porventura tocasse não era sua a voz que eu escutava. Esperava o apito do meu computador avisando a chegada de um novo e-mail, ele não apitava. Esperava uma carta, um sinal de fumaça, uma mensagem no celular, esperava que você aparecesse e trouxesse consigo alguma palavra. Esperava e esperava e esperava. E você não vinha. Você me deixava a sós com esse silêncio que dói mais do que um grito arranhado, do que um corte profundo na carne, que dói mais do que a palavra dor. Eu falava sozinha, cantava no banho, telefonava para amigos, enlouquecida, atrás de uma voz, de uma palavra. Mas a sua não aparecia, e, quanto mais o tempo passava, quanto mais eu a procurava, menos esperança tinha de um dia voltar a me mexer.

Primeiro, tiraram-lhe a roupa toda. Mediram cada parte de seu corpo, anotando os detalhes num caderninho ao qual ela não tinha acesso. Examinaram os olhos, a garganta (diga "a") e o ventre. Em seguida, sentaram-na num banco de metal. Ela se arrepiou com o frio. Em uma única tesourada, seus cabelos foram da cintura ao chão. Ela não sentia ódio, mas tampouco conseguia sossegar o pensamento: por que não tinha partido? Por que havia cedido tanto? Por amor a ele ou ao país? Não sentia ódio, sentia medo, um medo enorme, que lhe saltava pelos olhos, pelas narinas, pelos poros. Queria poder sair de lá: moço, por favor, deixe-me ir, não tenho nada a ver com essa história, não sou quem vocês imaginam, sou uma moça direita, de boa família, isso aqui é um engano. Quando sentiu o roçar da máquina raspando a cabeça, não resistiu, deixou cair a lágrima que em vão guardava para si. O barulhinho irritante do aparelho confirmava que estava de fato ali, que sua via-crúcis estava ainda por começar. Afastaram-lhe o braço com força no momento em que ela manifestou a intenção de esfregar a mão sobre sua nova cabeça. Já não tinha direitos nem sobre seu próprio corpo, estava ali ao bel-prazer dos outros. O serviço concluído, levaram-na pela mão para outra sala, onde havia outras mulheres como ela, inteiramente despidas, o couro cabeludo igualmente raspado.

Tenho um segredo muito grande. Tão grande que às vezes me toma o corpo a ponto de me fazer repetir sem parar: não aguento mais não aguento mais não aguento mais. O silêncio é perigoso, você me dizia. Vivo esse perigo diariamente e sinto o desconforto de não conseguir falar. Sinto o segredo me corroendo, me mutilando lentamente. É um segredo terrível, monstruoso, não tem um resquício sequer de coisa bonita. Fede mais do que enxofre, do que comida podre, do que vômito de doente. Se eu pudesse pegá-lo nas mãos, seria viscoso feito gosma, secreção. Sim, é um segredo feio, muito feio. E foi por isso que decidi não lhe contar, porque não queria mais uma pústula em seu corpo carunchoso. Mas foi também por medo. Certa vez, contei esse segredo a outra pessoa, e ela me disse: você é corajosa, você é forte de não contar nada à sua mãe. Mas a verdade é que não sou corajosa, sou medrosa, e por isso nunca lhe contei. Hoje vivo ainda os perigos desse silêncio. Carrego em meu corpo paralisado cada pedacinho do segredo, cada palavra nunca pronunciada. Mesmo agora, mãe, eu aqui, você aí, não tenho coragem de lhe dizer. E no entanto preciso falar, preciso contar a verdade. Mas tenho medo, muito medo, porque conheço a pontada de cada palavra que escondo, e não quero machucá-la.

Você lembra que, quando eu era pequena, toda vez que queria lhe contar um segredo — como a primeira menstruação, o primeiro beijo —, em vez de falar, escrevia num papel e o deixava em seu quarto para que o encontrasse? Eu morria de medo de falar, lembra? Mas ao mesmo tempo queria que você soubesse, queria lhe contar. Então, fazia isso, usava papel e caneta. Sei que já estou bastante crescida para essa estratégia, e sei também que nós tínhamos intimidade suficiente para eu ter olhado nos seus olhos e contado o segredo. Mas tinha medo de ver o medo e a dor estampados em seu rosto e me sentir culpada por isso. Como não encontro outra maneira de revelar o que guardo comigo há tanto tempo, escreverei uma carta, onde contarei o que tem me infligido tanta agonia, esse segredo atroz que vem carcomendo meu corpo até hoje e que me faz repetir sem parar: não aguento mais não aguento mais não aguento mais. Depois, procurarei um parque, um jardim, talvez uma floresta, onde vou cavar a terra e enterrar o segredo. Por cima da carta, colocarei um pouco de mel para adocicar o gosto amargo que você sentirá. Cobrirei o envelope com terra e, em seguida, plantarei uma roseira. Essa roseira será a mais linda do parque, a mais vistosa. Assim, mãe, quando você encontrar a carta, quando descobrir o segredo e sentir o peito apertar, receba as rosas que lá estarão como um beijo meu, um pequeno alento.

Eu acordava e antes de preparar o café ligava o computador e o celular. Checava os e-mails e a secretária eletrônica para ver se havia algum sinal seu. Meus pensamentos tinham um único objeto: você. Vinte e quatro horas por dia, quando comia, quando trabalhava, quando tomava banho, quando dormia, só pensava em você. Depois do café da manhã, ia direto para o escritório. Lia os jornais na internet, um ou outro blog de amigos e conferia os e-mails novamente. Pegava meu celular e o repousava na escrivaninha, ao meu lado. Então começava a escrever. Escrevia uma palavra, depois outra, e depois pegava novamente o celular para ver se havia uma mensagem ou uma chamada não atendida (eu poderia não ouvir, ele poderia não tocar, essas coisas acontecem). Apagava as duas palavras da tela e escrevia outras três. Levantava, ia passear pela sala, pela cozinha. Na minha cabeça, um único pensamento: você. Uma obsessão. Tomava um café, o segundo do dia. Rodava pela casa em busca de inspiração, mas só encontrava você, em todos os cantos, todas as ideias. Voltava ao escritório e retomava a escrita. Algumas palavras surgiam na tela do computador, e todas me pareciam uma única: você. Apagava tudo. Checava os e-mails: propagandas, amigos convidando para sair ou pedindo favores, informações de palestras ou cursos. De você, nada, nem uma palavra, nem um sinal. Esqueça, eu repetia para mim mesma, concentre-se no seu trabalho, escreva. Olhava novamente para a tela e via o formato de uma página em branco. Mudava a formatação: o espaçamento, o tipo da fonte. Às vezes funcionava, eu mudava a letra e conseguia, como que por milagre, escrever um parágrafo inteiro, de uma só vez. Depois me levantava de novo, passeava de novo pela sala, pela cozinha. O terceiro café. O escritório. Os e-mails, o celular: nada. De repente o telefone tocava, eu atendia afoita, quem sabe não era você? A empresa telefônica oferecendo serviço, meu pai perguntando se estava tudo bem, meu avô, eventualmente algum amigo. A tela do computador de novo, a incapacidade de escrever. Ia para o quarto e deitava na cama ainda desfeita. As cortinas fechadas, como se fosse noite. Debaixo da coberta, olhava o teto e me perguntava se um dia isso passaria, se um dia eu deixaria de pensar em você.

Os pesadelos me tomam a noite toda, e entre eles há apenas o curto tempo do susto, em que acordo e percebo meu corpo molhado de suor. Depois volto a dormir e tenho outro pesadelo. Estou numa casa que desconheço, mas onde reconheço muitas coisas: o retrato do meu avô na parede, os copos de cristal da minha avó, os tapetes turcos da minha própria casa, fotografias em preto e branco, a mesa de vidro, o cheiro de coisas guardadas. A casa é toda de madeira escura, o chão coberto por tapetes bordados à mão. Uma escada me levaria ao segundo andar, onde não sei o que há. É a casa onde passei toda a minha vida, a casa onde nunca estive. Estou sozinha, e tenho medo da solidão. Passei a vida sozinha e fui obrigada a me acostumar com a solidão, apesar do medo. Passei a vida nessa casa de onde tento em vão sair, desde sempre. A porta está trancada à chave, e não a encontro. As paredes são sólidas, devem ser feitas de pedra. A porta é pesada, grande, como se tivesse diferentes camadas. Não desisto de procurar a chave, vasculho os mesmos lugares repetidas vezes, as mesmas gavetas, os mesmos cantos. Não a encontro. Tento gritar por socorro, mas já não tenho voz. Não sei o que há do lado de fora, nem mesmo sei se há algo, ou se estou numa casa abandonada em meio ao nada. Queria ser Alice para sair pelo buraco da fechadura, ver o outro lado do mundo. Queria ver o céu e as árvores que devem estar lá fora. Queria encontrar alguém e andar de mãos dadas sob a noite. Queria ver o rosto de quem amo e poder lhe dizer: te amo. Queria caminhar pelo jardim que imagino haver em volta da casa e colher morangos na minha própria saia. Queria poder me afastar da casa, ver o que nunca vi e não sei como é. Mas a porta está fechada e não há janelas. Meu corpo definha: tenho minha história entranhada nas paredes e a morte que me aguarda.

A dor está em tudo, espalhada por todos os cantos do planeta, por todos os cantos de nós. Não existe nem mesmo um poro da pele que não carregue dor. Os sentimentos mudam, mas a dor persiste. Em tudo o que experimentei, lá estava ela, de um jeito ou de outro. No amor, na alegria, na tristeza, no sofrimento, no luto, nos sonhos: nunca conheci nada disso sem dor. Não concordo quando você diz que sou eu que levo as coisas para o lado da dor. Não sou eu: é a vida, mãe, é ela que é assim.

Essa viagem que faço, esse país estranho onde vim parar, tudo isso dói. É bonito, é interessante, é engraçado, mas dói. Essa herança dói. O que trago comigo sem escolha dói. Essa nossa conversa, mãe, também dói. A história de amor que me arrancou a carne dói. A história do meu avô, a sua história, a tortura, o exílio, tudo dói. E, sobretudo, dói falar da dor. Dói escrever esta história: cada nova palavra que encontro dói. Escrever, mãe, dói imensamente: dói tanto quanto é necessário.

Não nos víamos havia mais de um mês. Você me ligou e disse: preciso vê-la. Eu não queria, mas também precisava, também queria. Quando ouvi a campainha, senti que tinha um encontro marcado. Quis fugir pela janela, mas não havia jeito. Estremecia de medo, de pavor, de desejo, de saudades de você. Pode entrar, eu disse, a porta está aberta. Eu estava na sala, sentada no sofá. Quando o vi, me levantei feito bicho ameaçado. À espreita. Você se aproximou e disse: saudades. Você sabia como me desarmar. Eu era ainda um bicho ameaçado, mas já não tinha meios de me defender. Meu corpo todo tremia por dentro, o sangue correndo acelerado. Por fora, era apenas uma menina desprotegida. Seu corpo estava muito próximo ao meu, quase colado, eu sentia sua respiração, seu cheiro, sua presença, mas não conseguia me mexer. Você está linda, ouvi. E esse foi o seu segundo golpe. O terceiro foi abrir os botões da minha blusa, os seios à mostra. Nos meus olhos havia lágrimas que não escorriam. Naquele momento tudo era extremo: o desejo a alegria o prazer a dor. Tudo junto, tudo misturado, tudo um só e enorme, tudo imenso, todos os sentimentos a correr nas minhas veias, no meu corpo paralisado. Você tirou minha blusa e a deixou caída no chão. Depois desabotoou minha calça, você a tirou e também a deixou no chão. Por fim desceu minha calcinha e me deixou sem nada. Era como se você tocasse meus órgãos diretamente, meu sangue, minha carne, sem qualquer proteção. Foi assim quando você deslizou as mãos nos meus seios no meu ventre nas minhas coxas entre as coxas, quando me acariciou o rosto e me puxou o cabelo suavemente, quando passou seus lábios pelo meu corpo todo, quando me penetrou, quando me apertou as pernas, quando me molhou e eu também o molhei. Foi assim do início ao fim: você me tocava a pele, e eu não tinha pele.

Num quarto de três metros quadrados, ligaram o ar-condicionado na potência máxima. Queriam transformar o ambiente numa geladeira. Ela experimentava pela primeira vez frio tão áspero. Sentia o rosto rachar, o corpo nu prestes a se transformar em farelos. Tremia. Os dentes um contra o outro. Pressentiu o fim: arrependeu-se de ter entrado nessa vida, não queria morrer. Logo em seguida não se arrependeu mais: se morresse, seria pela causa certa. Os braços pareciam querer fugir do corpo, tanto ela tiritava. Teve uma ideia: pôs-se a fazer polichinelos, a pular sem pausa. Durante quase duas horas, exercitou-se até conseguir diminuir a sensação de frio. Aquecida, sentou-se para descansar. Então, o frio foi diminuindo, diminuindo. De repente, ela percebeu que o ar-condicionado não estava mais ligado. Será que a tirariam de lá? O coração acelerou, ninguém podia imaginar o quanto ansiava por ver a luz do dia. Encheu-se de esperança, veria seu marido novamente, seus pais, seus amigos. Prometeu a si mesma que dali para a frente não colocaria mais a vida em risco, nem a sua nem a da família. O pai sempre lhe dissera: dei-lhe do bom e do melhor para isso? Para você colocar tudo a perder? Foi para isso que você se casou? Como fará para me dar netos nessas condições? Mas é por eles que faço isso, pelos filhos que um dia terei, ela repetia.

Sentia que o momento chegava, que poderia rever os que lhe faziam falta, seria levada para fora do quarto, seria entregue de volta a casa. Mas de repente sentiu o pescoço quente, estava suando. A testa melada, gotas de suor começavam a escorrer pelo corpo. O calor aumentando, até se transformar num bafo opressor. Não, não sairia de lá. O aquecimento ligado na potência máxima, o quarto agora se transformava num forno.

Se me perguntassem, diria que nunca tinha pensado em viajar em busca do passado. Sempre acreditei que de nada adianta cutucar as ruínas do que não existe mais. Toda lembrança é um vestígio de lágrimas, e, com o passar do tempo, essas lágrimas secam no rosto de quem já se foi. Agora, saindo do hotel após ter conseguido uma pista sobre minha família, sinto que as lágrimas que escorrem não são apenas minhas e que, ao contrário do que imaginava, ainda não secaram.

Pelo que me falaram no hotel, Esmirna é uma cidade pequena, com alguns atrativos turísticos, mas nada comparável a Istambul. Talvez não haja grandes monumentos para ver, mas cada pedacinho dessa cidade, cada porta, cada casa, cada pessoa, me deixa com o coração apertado. Penso que, por onde passo, em outra época passaram meus ancestrais. Penso que poderia ter nascido aqui e esta poderia ter sido a minha cidade. Caminho pelo porto, pela Rua Ataturk Caddesi, e fico pensando que deve ter sido justamente nesse local que meu avô pegou o vapor para o Brasil. O imenso navio do qual ele me falou já esteve nesse mar, aportado nessas mesmas águas. A cidade devia ser muito diferente, imagino, sem os carros que hoje bloqueiam o trânsito, sem tantos prédios, tanta urbanização. Penso que, na verdade, não era essa a cidade do meu avô. Que as cidades, assim como nós, também têm suas lembranças, seus próprios vestígios de lágrimas.

O rosto de Esmirna me parece mais seco do que o meu. O sol forte — não tanto quanto em Istambul — ilumina a Praça do Konak, onde fica a torre do relógio. Deito no muro que separa o asfalto do mar e acabo cochilando um pouco. Só acordo quando um menino me cutuca, querendo saber se não quero comprar uma de suas caixas de passa. Tenho fome, e aceito a oferta. Atrás do relógio, existe uma cidade que ainda não conheço, mas que quase adivinho em seus desenhos, seus cheiros, suas cores.

Sento num café ali mesmo, na praça, e peço um chá de maçã. Hoje estou sem vontade de conhecer a cidade, prefiro ficar olhando o mar e imaginando como deve ter sido sair daqui. Depois, fico refletindo se o avô do Raphael é realmente o primo do meu avô, se vou chegar a conhecê-lo, a conversar com ele. É essa a cidade que procuro, não a cidade dos tapetes e ouros, não a cidade do tabaco e da boa comida, mas a cidade da minha família.

Me avise antes de gozar? Estávamos os dois com cheiro de banho tomado, meu cabelo ainda molhado, o seu quase seco. Seu corpo por cima do meu, na posição mais óbvia, porém insubstituível. As toalhas repousavam ao nosso lado, deixando úmido o lençol. Era um sábado de manhã, e o banho tinha sido uma tentativa de nos curarmos da ressaca de uma sexta-feira noite adentro. Já estou quase. Segure um pouco, pedi, aproximando meus lábios do seu ouvido. Você tirou lentamente seu sexo do meu e, começando pelos lábios, me beijou o corpo inteiro. Na véspera, tínhamos comemorado dois anos de relação (quem diria que ficaríamos tanto tempo juntos?, a pérola que você me disse durante o jantar). Risoto de funghi regado a champanhe. De sobremesa, petit gâteau de goiabada com sorvete de queijo. Coloque de novo, eu disse. Venha por cima, você me pediu. Sorri, você sabia o quanto eu gostava de tê-lo por debaixo de mim, devorando-o do meu jeito, no meu ritmo. Encaixei nossos sexos lentamente, feito o espreguiçar de manhã, na tentativa de esticar o tempo quando queremos que ele não passe. Minhas mãos se arrastavam pelo seu peito quase liso e quase branco, o vermelho do verão já gasto. Venha, você disse, quero gozar com você. Então espere, respondi com a voz de quem anuncia que não será preciso esperar muito, só mais um pouquinho. Depois do restaurante, tínhamos saído para dançar, o que não fazíamos havia algum tempo. Boate de verdade: música eletrônica, pista repleta de mulheres com suas minissaias ou seus jeans justos, topes mostrando o piercing no umbigo, homens com os primeiros botões da camisa abertos, gel no cabelo, caipirinhas e cervejas derramadas no chão, nas roupas. Nós dois lá como se fôssemos assíduos, dançando a noite inteira, esfregando nossos corpos nos nossos e em outros, nos beijando com a língua à mostra, expondo o tesão em público. Estou quase, eu disse, e você tirou uma das mãos do quadril para colocá-la no meu sexo, que antes roçava a sua pele. Mordi os lábios e fechei os olhos com força. Pensei nos nossos corpos suados dançando, no corpo grande e musculoso do homem que sem pudor encostou na minha bunda e me apertou a cintura, nos seios indiscretos que você apalpou disfarçadamente. Vou gozar, você disse, fazendo vir o meu gozo, o seu gozo, nossos espasmos juntos, nossos gemidos. Depois não falamos mais nada, nem pensamos em nada, nem quisemos nada, apenas deixamos o tempo passar, saboreando o término de uma noite inteira de desejos acumulados.

Respire: rápido, antes que mergulhem novamente a sua cabeça na bacia funda. Aguente firme, você pode aguentar. Eram três homens, três carrascos à sua volta. Ela já nem era mulher, era apenas um corpo desmilinguido, quase sem carne, a pele frouxa se esforçando para segurar os ossos. Cada vez que afundavam a sua cabeça, as pernas se desequilibravam, bambas. Então, para que ela não caísse, um dos carrascos apertava a cabeça com mais força, feito para compensar a falta de apoio dos pés. Ela ouvia vozes distorcidas pela água e, mesmo que fosse capaz de fazer algum esforço, não entenderia o que falavam. Respire: rápido, antes que mergulhem novamente a sua cabeça na bacia funda. Aguente firme, você pode aguentar. Não pensava em nada preciso, as imagens lhe surgiam difusas e sem explicação. Já tinha ouvido falar que antes de morrer a pessoa vê a vida inteira como um filme, plano depois de plano. Será que era isso? Que estava morrendo? Que as imagens que via eram as derradeiras? Ela não reagia (não tinha como) e apenas se deixava levar. Quando lhe erguiam a cabeça, não tinha tempo (nem a intenção) de falar, pedir que parassem porque iria contar o que eles queriam ouvir. Respire: rápido, antes que mergulhem novamente a sua cabeça na bacia funda. Aguente firme, você pode aguentar. Repetiram o mesmo gesto dezenas de vezes seguidas: cabeça na água, cabeça erguida. Até o momento em que perceberam seus olhos fechados, os membros sem reação alguma, e então pararam. Deixaram seu corpo abandonado no chão frio para que um funcionário o tirasse de lá, arrastado, e o levasse à cela, onde ficaria à espera de um novo chamado.

Tenho medo de ser feliz quero ser feliz tenho medo de ser feliz quero ser feliz tenho medo.

Estamos no carro e o caminho é longo. Raphael me pergunta se gostei do jantar e me pede desculpas pelo inconveniente. Educadamente, digo que foi ótimo, não houve problema algum. Enquanto ele dirige, fico observando seus gestos, o contorno de seu rosto, sua maneira de falar. Penso que poderia ser ele, que poderia estar no seu lugar. Que se tivesse nascido aqui certamente seria uma verdadeira judia, falaria a língua deles, casaria com um judeu. Que se tivesse nascido aqui não teria sido colocada contra a parede: mas você não fala a nossa língua? Todos me olhando com ar de recriminação, como se tivesse cometido uma falta grave, se não mortal. Eu, acuada, ouvindo-os, inconformados, falar entre si na língua que não falo. Raphael, sem jeito, à minha frente, me olhando com cumplicidade, como quem pensa que poderia ser eu, que talvez pudesse ter nascido em outro país e não falar a língua dos avós. Eu olhava nos seus olhos e me apoiava neles, me esforçando para ficar alheia ao que os outros falavam, embora entendesse uma palavra ou outra. Em algum momento quis me justificar: é uma questão de sobrevivência. Meu avô precisou esquecer o passado e por isso nunca falou ladino com minha mãe. Um verdadeiro judeu não esquece o passado, retrucou, firme, o Raphael avô. Talvez meu avô não fosse um verdadeiro judeu, pensei, sem dizer nada.

Você sabe como são as pessoas mais velhas, me diz Raphael assim que o carro para num sinal vermelho. Não fazem por mal, mas por medo. É, respondo, deve ser isso mesmo. E fico pensando se de fato era medo o que seu avô sentia quando afirmou que só falariam ladino durante o jantar, que qualquer outra língua estava proibida. Ninguém discordou, nem o Raphael, nem a Judith, esposa do Raphael avô, nem a Marta, viúva do Salomon. Tive vontade de sair correndo, gritar, em português, que não tinha nada para fazer lá. Mas em vez disso acatei a decisão, sorri e disse, em portunhol, que iria tentar. Apesar desse incidente inicial, aos poucos fui percebendo afinidades entre nós. Quando disse que em casa fazíamos aquela mesma comida, o Raphael avô se soltou um pouco, sorriu pela primeira vez, feito pensasse que o passado não está só na língua.

Já estamos em frente ao hotel quando ele me pergunta se quero ir a Bornava no dia seguinte para conhecer o bairro onde moravam meus avós. A casa não está mais lá, foi destruída há cerca de quinze anos, mas ainda há outras muito parecidas, construídas na mesma época, no mesmo estilo. Tiro a chave da bolsa, seguro-a, observo-a e penso que se já não há mais casa, não tenho motivo para continuar a viagem. Ele entende sem que eu diga uma palavra sequer. Fico pensando se voltaremos a nos ver e talvez ele também esteja pensando nisso. Seu nariz é fino como o meu, mas somos muito diferentes. Jamais diria que somos primos. Ele me agradece com um dos sorrisos mais bonitos que já vi, e nesse momento tenho vontade de lhe dar um beijo. Vontade de lhe dar vários beijos, de abraçá-lo, de convidá-lo para subir, de passar a noite toda com ele. Mas nos despedimos com singelos beijos no rosto, dizendo que esperamos nos encontrar em breve. Fecho a porta do carro e, enquanto caminho até o quarto do hotel, penso que já não tenho o que fazer neste país, que nem mesmo sei se um dia tivera.

Com raiva, com ódio, jogo a máquina de escrever no chão e rasgo todas as folhas escritas. E também as brancas, para não correr o risco de continuar escrevendo. Percebo o quão inútil é escrever essa viagem de volta às origens. Não quero escrever nem mais uma vírgula, quero destruir o que foi escrito. Essa viagem não tem por que existir: nem de verdade nem no papel.

Havia finais de semana em que passávamos o tempo todo em casa, apenas nos deliciando um com o outro. Você me tocava como homem algum. Você me fazia gozar como homem algum. Você me fazia acreditar que era isso o amor. Eu acreditava que o amava. Acreditava que você me amava. Nesses dias, simplesmente esquecia que tinha o corpo aberto por feridas, que você havia me rasgado a pele. Nesses dias, fingia ter o corpo inteiro e o entregava a você. Você sabia tocá-lo sem me machucar, sem pôr a mão nas minhas feridas. Você também esquecia, também fingia. Ainda hoje não sei se havia amor nessa loucura, mas procuro me dizer que não, isso não é amor, procuro acreditar que o amor é outra coisa, que ele não devasta o corpo dessa maneira, não arranca a pele nem nos deixa tão vulneráveis, a carne à mostra. Procuro acreditar nisso, mas tenho medo de estar enganada. Na verdade, morro de medo, medo de que o amor seja de fato essa dor a nos invadir, a nos devorar o corpo, a alma.

Todos repousaram o garfo no prato e olharam na minha direção quando perguntei: a casa do meu avô ainda existe? Raphael titubeou, depois ergueu a cabeça e, sem pestanejar, respondeu: não. Quando sua bisavó se mudou para o Brasil, deixou a casa vazia. Ela ficou abandonada durante muitos anos e depois acabou sendo destruída. Você queria conhecê-la?, ele perguntou. Contei-lhe então que meu avô tinha me dado a chave para tentar abrir a porta da sua antiga casa. Ele me olhou com ar desconfiado: seu avô não sabia que a casa tinha sido destruída? Pega de surpresa, gaguejei e, vacilando, disse: acho que não. Mas saí de lá com a pulga atrás da orelha.

Não se levantou para abrir a porta, nem mesmo se abalou com o sonido. Fazia tempo que ele desistira de conferir quem tocava a campainha, sempre as mesmas pessoas querendo consolá-lo. Quando se convenceu de que nada poderia, abandonou-se ao desalento. Só ia à rua para comprar o necessário à sobrevivência. Sentia-se demasiadamente culpado para conseguir retomar a vida. Nunca deveria tê-la deixado sozinha. Por que não a tinha acompanhado? Por que não aceitara seus tantos pedidos de exílio? O asilo na Embaixada da Costa Rica? A escolha pela luta era sua, não dela. Sentia-se culpado.

A campainha continuava tocando, mas dessa vez havia algo de diferente: o intervalo entre um toque e outro era longo demais, sem a insistência frenética habitual, mas ao mesmo tempo nunca tinham insistido tanto. O sonido lhe parecia um lamento, um pedido derradeiro de alguém sem forças. Só então, depois de uma ou duas horas, pressentiu que... Sim, era ela do outro lado da porta, vestida como no dia em que havia partido, o mesmo jeans, a mesma camiseta cinza, a mesma bolsa de couro atravessada no corpo. Mas e o resto? O que tinham feito com seus cabelos? Com seus olhos? Seu sorriso? Era ela, agachada na entrada de casa, a cabeça nua entre as pernas. Ela. Ele ainda de pé. Precisou de algum esforço para levá-la ao sofá em seus braços igualmente fracos. Deitou-a com cuidado e se estirou ao seu lado. Não conseguia parar de chorar. E ela: muda, seca. Não se sabe quanto tempo se passou enquanto eles ficaram abraçados no sofá, ele em prantos, ela inerte, sem expressão. Talvez um ou dois dias, talvez meses, anos, talvez para sempre. Sem trocar uma palavra, abraçados, vivendo a mesma dor, dores tão diferentes.

Estou grávida, eu disse. Então tire, você afirmou, sem pudor algum. Tirar? Não tiro. Como assim não tira? Você acha que terei um filho agora? Acho, não, respondi, você vai. Ah, mas não vou mesmo, você me assegurou. Ah, vai, sim, retruquei, convencida. Veremos, você disse. E não tocamos mais no assunto, cada um seguro de sua certeza.

Uma semana depois entendi a contradição de nossos desejos. Até hoje não sei se foi você quem fez isso ou se foi o meu medo. Tomávamos café da manhã juntos, como de costume, quando senti uma pontada aguda no ventre, feito cólica menstrual, porém muito mais intensa. Com as mãos na barriga, me contorci e tive raiva. Você se mostrou preocupado, veio próximo a mim e me abraçou: o que você tem? Não respondi, apenas urrava de dor e o afastei para longe. No meu peito, só havia espaço para o ódio e a certeza de que era você. Fiquei com o corpo vergado, a dor a me tomar o ventre, até o momento em que vi, com a cabeça entre as pernas, um jorro de sangue saindo de mim, uma poça vermelha me manchando a pele, escorrendo pela cadeira. Sem levantar o rosto, chorei em desespero a morte do filho que eu já amava. Nem por um segundo nas horas que se passaram — nem mesmo quando já estava no hospital, refeita, certa de não correr perigo algum — ergui a cabeça, nem por um segundo olhei nos seus olhos: eu tinha medo de encontrar a resposta que eu refutava, de descobrir alguma confissão inóspita. Sim, eu tinha medo de que você não soubesse mentir bem o suficiente para me esconder a verdade.

Entre a sobremesa e o chá, Raphael me perguntou: mas por que seu avô não veio, ele mesmo, tentar abrir a porta?

O mesmo sonho: repete-se. Estou dormindo, você chega e se senta na cama, ao meu lado. Afaga meu cabelo em silêncio. Eu acordo e a vejo. Antes que tenha tempo de me sobressaltar, você se precipita e diz: voltei. Você diz certeira em meus olhos: tive que viajar, mas agora estou de volta. Aperto a sua mão com força, para que dessa vez não mais me escape, enrugo a testa e pergunto: quer dizer que a escolha foi sua?

Estou novamente sozinha, passeando pela cidade. Penso em tudo o que fiz até agora. O encontro com a família ainda atravessa minhas ideias, numa mistura de decepção, contentamento e graça. Não posso dizer que tenha ficado realmente frustrada com a ausência da casa, a falta de diálogo com os meus parentes. Nunca imaginei que fosse ser diferente, nunca pensei que haveria uma casa à minha espera, aguardando apenas o encaixe perfeito da chave na fechadura. Quanto ao encontro, tampouco esperava uma história emocionante, dessas que enchem nossos olhos de lágrimas.

Caminho pelas ruas de Esmirna pensando que já realizei a primeira parte da viagem. Não tenho mais o que fazer na Turquia e quero ainda ir a Portugal, onde não há parentes nem casa para procurar. De qualquer maneira, é o país de onde veio a minha família e também onde nasci. Eu tinha nove meses quando saí de lá, nos braços da minha mãe. Certamente, o tempo foi curto, não deu para formar lembranças, mas ainda assim acredito que possa encontrar em Lisboa alguns sentidos para o meu corpo, a minha história.

Eles tinham ficado quase um mês no consulado sem contato com o mundo, sem poder sair, telefonar, receber visitas, nada. Era véspera da partida para a Costa Rica. O vice-cônsul veio bater à porta do quarto onde dormiam: vocês sabem, visitas são proibidas, mas ela insistiu, assumiu o risco e veio visitá-los, disse que não permitiria que a filha partisse sem antes lhe dizer adeus. Vou conceder a visita porque vocês deixam o país amanhã, e não sabemos até quando, mas sejam breves, quinze minutos serão o suficiente. Ela olhou para o marido, os olhos úmidos: minha mãe está aqui, meu deus, ela é louca. Sentia-se orgulhosa pela coragem da mãe. Colocou um lenço por cima dos ombros e foi ao encontro dela. Quinze minutos, não mais do que isso, repetiu o vice-cônsul.

Não se viam havia mais de um ano. Falavam-se às vezes por telefone, quando ela conseguia ligar de um orelhão. Mas sempre às pressas, uma conversa estranha, quase codificada, sem nomes nem locais, apenas para dizer: está tudo bem, não se preocupe, vai dar tudo certo. Do outro lado, a voz da mãe, chorosa, insegura, a ponto de desabar: minha filha, não fique aqui, vá embora do país.

A mãe estava de pé, os ombros curvos como um gancho. A sala era grande, e a filha teve de correr para alcançá-la sem demora. A mãe era menor do que a filha e por isso ficou encaixada em seus braços feito criança. Choravam, as duas, soluçavam. Não diziam nada, apenas se abraçavam e choravam. Qualquer coisa que dissessem, qualquer palavra pronunciada seria muito menos do que tudo o que tinham a dizer uma para a outra. A saudade que sentiam, o aperto no coração, a vida clandestina de uma, a vida pacata da outra, os planos, os projetos, a casa, a falta de casa. Você é louca, mamãe, você sabe os riscos que corre ao vir aqui? Ela não respondeu, sabia de tudo, é lógico, mas como medir os riscos? Como deixar de ver a filha? No dia em que fosse mãe certamente a entenderia. O papai sabe? Não, ele não teria me deixado vir. Ela balançou a cabeça, feito reprimisse uma criança levada. Elas se tocavam, misturavam as mãos, confundiam os rostos, os carinhos. Quanta saudade, minha filha, quanta saudade, mamãe.

Sentaram-se no sofá. A mãe estava ficando velhinha, as pernas roxas de varizes, rechonchudas, já não se sustentava muito tempo em pé. Ficava cansada à toa, eram muitos os problemas de saúde, os médicos, os remédios, comprimidos a cada refeição. Como você está, minha filha? Estou bem. Partimos amanhã, não teremos mais que nos esconder, estou aliviada. Você vem nos visitar assim que puder, não vem? Claro, estaremos lá, eu e seu pai. Telefone, escreva, mande notícias. Pegaremos o primeiro avião. Ela sorriu, respirou com vontade, distendendo o corpo. Deixou ali naquela sala, no sofá, os medos, as angústias e a dor da separação. Embora fossem se separar novamente, dessa vez carregava no peito a certeza de que reveria a mãe. E a cada vez que lhe vinha uma certeza, era um medo que se ia. O vice-cônsul chegou à porta da sala: o tempo acabou. Elas se olharam enternecidas, não queriam se despedir já, quinze minutos não eram nada depois de mais de um ano de distância. Ela se levantou, aproximou-se do senhor austero que a aguardava hirto ao lado da porta, e disse: que diferença faz se são quinze minutos ou uma hora? Ela já está aqui, nada mais pode acontecer. Faz muito tempo que não nos vemos, e ainda não sabemos quanto tempo ficaremos sem nos ver. Poderia argumentar que somos mãe e filha, que temos muito a falar, mas apenas pergunto: que diferença faz? Ele ficou sério, mudo durante alguns segundos, refletindo sobre o que acabara de ouvir. Está bem, vocês ficam mais um tempo, mas daqui a quarenta e cinco minutos retornarei. E aí pedirei à sua mãe que se retire.

Elas se abraçaram novamente e então desataram a falar, contaram tudo o que não tinham contado nos quinze minutos passados. A mãe contava como estavam os outros filhos, os netos que tinham nascido, como estavam o pai e a loja do pai, contava sobre as obras que tiveram de fazer na casa devido a uma infiltração, contava do seu cansaço, mas também dos seus passeios na orla, de como gostava de ver o pôr do sol no Leblon, de passear pela cidade quando o seu corpo permitia. Ela não tinha grandes novidades, falava sobretudo da tensão, do medo, dos esconderijos, mas também da esperança de que sua situação melhorasse de agora em diante. A mãe sabia que estivera presa, mas não sabia (não queria saber?) o que havia acontecido lá dentro: era demais para o seu coração de mãe, para o seu corpo frágil. Um dia a filha lhe contaria tudo, porque ela acha que as dores têm de ser ditas, que o silêncio é muito perigoso. Ela lhe contaria tudo o que se passou quando esteve presa, mas não hoje, não nesse dia de encontro e despedida, não depois de tanto tempo sem se verem. Não queria afligir a mãe desnecessariamente. Aguardaria, então, o momento certo, quando ela estivesse no exílio, não mais na Costa Rica, mas em Portugal. Quando a mãe fosse visitá-la e elas tivessem tempo, muito tempo, o tempo delas, não o do relógio do vice-cônsul, aquele senhor austero que, pontualmente, voltava à porta para avisar que dessa vez não poderia mais estender os minutos, que já tinha sido flexível demais, que havia chegado o momento, elas deveriam se separar, dizer adeus, mas que não se preocupassem, não tardaria para que pudessem se reencontrar. Ele falou isso tudo e em seguida abaixou a cabeça, sabendo que então elas davam o abraço derradeiro, que se apertavam com força, que se tocavam com amor e que choravam de saudades antecipadas, como fazem mãe e filha quando precisam dizer adeus.

Entre nós não havia amor. Havia medo.

Quando você se foi era como se eu soubesse desde sempre. Sim, você pode dizer que todos sabem, todos sabemos: a morte é nossa única certeza. Mas há algo que está além dessa certeza, uma certeza ainda maior, maior do que a certeza da morte. E era dela que vinha meu medo. Quando você morreu, foi uma confirmação, como se a morte tivesse passado o tempo todo nos espreitando, nos acompanhando em cada passo. Quando ela chegou, eu sabia que tinha de ser assim, sempre soube, desde o princípio. Mas essa certeza nunca me trouxe paz, ao contrário, trouxe-me o medo mais profundo, a revolta mais gritante, um desconforto pungente.

Quero gritar, mas tenho a boca amordaçada. Meu corpo esparramado na cama deste quarto podre e solitário é um corpo em silêncio.

Duvido que exista alguém que nunca tenha sentido vontade de matar. Talvez poucos tenham sentido tão imensa vontade quanto eu, é verdade, mas imagino que ao menos uma vez na vida todos sintam o desejo macabro de ver no olho alheio o medo da morte. Cheguei a arquitetar planos nas minhas noites de insônia. Não queria apenas que você morresse, queria que fosse eu a matá-lo. Queria ver seus olhos de desespero ao perceber que perderia a vida nas minhas mãos. Como num filme, num livro. Como num desses jornais baratos que podemos comprar todas as manhãs e que trazem na capa a notícia de um assassinato descabido, um filho que matou a mãe ou um marido que matou a mulher por tê-la encontrado na cama com outro. Queria ser eu nos noticiários do dia seguinte: jovem mata namorado durante briga do casal. Tudo planejado, a briga, o local, a arma, o motivo do crime (legítima defesa: ele me matou primeiro). Às vezes observava seu corpo dormindo, o ronco atrapalhando o meu sono, o ar saindo em exagero pela boca, e ficava imaginando como seria perfurar o estômago de alguém, ver o sangue jorrando, a vida lhe escapando, correndo solta por entre meus dedos. Às vezes passavam-se horas e eu ainda a olhá-lo. Às vezes você acordava e me perguntava: o que foi? Nada, só não consigo dormir. Você então me puxava para perto de si, colava o seu corpo ao meu, de lado, as pernas se misturando umas às outras, e me beijava o pescoço. Sussurrava-me palavras doces que eu mal compreendia e voltava a dormir. Eu, encolhida em seus braços, continuava a arquitetar meus planos, à espera da primeira luz da manhã.

Vim a Portugal descobrir minhas origens e o que descobri foi outra coisa: não tenhas medo da palavra amor. Ele me disse isso com os olhos verdes quase a arder os meus, disse-me a palavra amor mesmo sabendo que não me amava (não ainda), e o amor ficou ecoando no quarto, ressoando, ressoando. Quis segurar a frase, prender os sons entre os braços. Não sei se algum dia tive medo do amor, mas a palavra assim, solta no quarto, nunca ouvira nada tão doce. Não tenhas medo da palavra amor.

Não, não tenho medo.

Como é cruel (e bonito) que a vida continue depois de você.

Era sábado à noite, e a música estava no volume máximo. Eu dançava só de calcinha enquanto Linda Scott cantava *I've Told Every Little Star*. Uma cerveja na mão e várias latinhas vazias em cima da mesa. Dançar é como fazer sexo, eu disse antes de colocar a música. Você fingiu não me ouvir, não gostava de dançar. Deixou-me sozinha na sala quando aumentei o som. Não faz mal, pensei, adoro dançar sozinha. Poucas coisas são melhores para um sábado à noite do que cerveja e música e solidão. Vá fazer outra coisa e me deixe a sós, não me incomodo. Eu dançava e não pensava nisso, não pensava em nada. Sorria e sorria e me mexia e sorria. Conduzia o corpo ora para um lado, ora para o outro, a mão encostando de leve o quadril.

Você não demorou para voltar, você não aguentava a sua solidão quando eu estava bem com a minha. Apareceu no corredor com o sorriso sarcástico de sempre, uma cerveja e um cigarro numa das mãos e um CD na outra. Desligou o som e disse: vou botar aquela música que você adora. Concordei, sorrindo, gostando da ideia, sem saber ainda que música seria. Você veio para perto de mim e começou a me acariciar o pescoço, afastando meu cabelo comprido, e me beijou e encostou a cerveja gelada nos meus seios e derramou um pouco de cerveja nos meus seios e me chupou o seio e perguntou: quer dizer que dançar é como fazer sexo? Eu ri, riso de bêbada, riso alegre, riso feliz. Hein, quer dizer que dançar é como fazer sexo? Ri mais e mais. Você jogou a cerveja toda em cima de mim, me deu um banho de cerveja gelada e se afastou. Então, pude ouvir a música, a nossa música. My baby shot me down. Você tinha o olhar que me aterrorizava. Bang bang. Você mirou em mim e atirou, você nem precisava de arma, você atirava e atirava e atirava e tinha as mãos livres. Você me acertou e já não pude dançar, já não pude me mexer. Você se foi, me deixou novamente sozinha e eu nem soube por quê. Estirada no chão até o amanhecer, chorei a minha própria morte.

Ele não sabia de nada, não sabia o que eu estava fazendo em Lisboa, por que estava lá. Quando nos conhecemos, eu ainda carregava a mala, e ele sabia apenas que eu chegava. E pensava que isso era tudo. Que não havia nada antes nem depois disso. Eu estava na Brasileira, tinha acabado de tomar um café e resolvi pedir a quem passava para tirar uma fotografia minha ao lado do Fernando Pessoa. Ele caminhava sozinho, sem nada nas mãos, então pedi: por favor, será que poderia tirar uma foto minha? Ele sorriu, da mesma maneira que eu também sorriria se me pedissem para tirar uma fotografia em frente ao Pão de Açúcar. Não disse nada, apenas tirou o retrato. Depois quis conferir: como faço para ver se está bem? Peguei a máquina de volta: é assim, basta girar esse botão. O que pensas? Hum, refleti: poderia tirar outra? Ele riu novamente e concordou. Convidei-o para tomar algo, se não tivesse nada a fazer, se tivesse tempo. Sim, mas que tal se mudássemos de ambiente? Dessa vez, fui eu quem riu: sem problemas. Mas você se incomodaria se não fôssemos muito longe? É que estou carregando uma mala meio pesada. Continuamos o jogo de sorrisos, um a rir do que o outro falava, como se fôssemos duas figuras exóticas, mas também como se nos entendêssemos perfeitamente e um soubesse o que o outro queria.

O bar era um pouco distante, mas ao menos não precisei carregar a bagagem: carrego para ti, ele ofereceu gentilmente. O ambiente era certamente menos turístico e, talvez por isso, mais simpático. Não tínhamos nada a falar um ao outro: poderíamos falar tudo, qualquer coisa. Tínhamos as nossas vidas inteiras para serem contadas, mas era como se nada disso importasse muito, como se tudo ou nada fosse a mesma coisa. Então, não falamos. Pedimos duas imperiais e simplesmente bebemos. E nos olhamos. E o silêncio entre nós foi aumentando, durando mais e mais, até se transformar num silêncio enorme, quase absoluto, interrompido apenas pelo eventual barulho dos goles de cerveja ou dos nossos olhos a pestanejar. Quando o silêncio cresce sem freios, quando ele é assim muito grande, torna-se ainda mais perigoso. E foi isso o que aconteceu entre nós: o silêncio foi aumentando, aumentando, e o perigo também. O silêncio já estava lá havia tanto tempo que se falássemos perderíamos tudo o que já tínhamos construído, como se qualquer palavra pudesse nos transformar em dois seres feios e sem graça. Implicitamente, estabelecemos o pacto de não destruir o silêncio, apesar dos perigos, pelos perigos. Não ouvimos as pessoas que gritavam ao nosso lado, os homens que entravam e saíam, as mulheres que riam exageradamente, o rapaz que brigava com o garçom porque o sanduíche não estava como ele queria. Não ouvimos o garçom nos perguntando se estávamos satisfeitos, nem o copo caindo da bandeja e se quebrando no chão. Ouvíamos apenas o nosso silêncio e o sangue a circular com força pelas veias, a esquentar o corpo, a nos dar desejo, um enorme desejo de correr perigos. Era como se o mundo ao nosso redor não fosse o mundo, como se o mundo fosse apenas aquilo que existia entre nós. Não conhecíamos nada um do outro, senão o silêncio e o olhar, e por isso não houve pudor, não houve vergonha, não houve medo: houve apenas desejo, silêncio e perigo quando demos o nosso primeiro beijo.

A anistia veio em agosto de 79. Um mês depois, ela desembarcou no Galeão junto com uma dezena de exilados políticos. Flashes da maior parte dos jornais e revistas cariocas estavam lá para cobrir a euforia dos que chegavam e dos que recebiam. O bebê que ela carregava não se incomodou com a multidão, nem mesmo se assustou com a quantidade de pessoas que o pegavam no colo. Era como se ele reconhecesse a casa que ainda não conhecia. Quando saiu a aprovação da Lei da Anistia, ela ponderou: não precisamos voltar agora, estamos bem aqui. A revista tem gostado do meu trabalho como correspondente, você tem feito contatos com o partido no mundo inteiro. E a nossa filha ainda é muito pequena, é cedo para viajar de avião, mudar de ambiente. Ele bateu pé: nosso lugar é lá. E é lá que quero fazer a revolução.

Ela acabou se convencendo de que era mesmo o momento de voltar, fazia tempo que não via a família e os amigos, que não comia pão de queijo nem bebia uma caipirinha. Não foi fácil arrumar a mala, afinal, haviam sido cinco anos de exílio. Tiveram de se desfazer de muita coisa, quadros, sofás, fogão, geladeira. Outras tantas — tapetes, livros, cerâmicas — mandaram por navio. As roupas vieram no avião. Ela veio primeiro com a filha, enquanto ele ficaria ainda dois meses resolvendo a última papelada e cumprindo algumas obrigações do partido. Antes de ir embora, ela reuniu os amigos mais próximos e disse que, se estava feliz pela certeza de reencontrar quem não via fazia muito, estava triste por deixá-los. Havia uma amiga que lhe era especialmente querida (tinham se conhecido na Albânia, onde, num jantar do partido, se entreolharam e seguraram o riso ao ver uma mosca mergulhando na sopa do líder, que pronunciava um discurso pomposo e arrastado) e de quem, estava certa, sentiria imensa falta. Suas filhas tinham quase a mesma idade, e doía pensar que não cresceriam lado a lado, como tinha imaginado tantas vezes.

Ao desembarcar, ela sentiu um frio subindo a espinha, o coração acelerando. Quem estaria lá para recebê-la? Enquanto esperava a bagagem, o tempo lhe parecia interminável, embora ela estivesse de papo com um conhecido que encontrara. Queria sair logo, chegar de verdade. Quando percebeu que era possível ver quem estava do outro lado, aproximou-se do vidro que impedia a passagem. Com os olhos de azeitona afoitos, procurou algum conhecido. Até que levou um susto: arrastando de mansinho a mão pelo vidro, seu pai chegou até ela. Quanto tempo fazia que não se viam! Ela diria que ele estava igual — igualzinho —, não fossem algumas rugas a mais e a coluna mais curva do que na última vez em que se encontraram. Os olhos dos dois estavam molhados, embora as lágrimas não caíssem. Imitando seu gesto, ela encostou a mão no vidro feito fosse segurar a dele. Trocaram carinhos, e era como se o vidro não existisse, até podiam sentir o calor da mão um do outro. De repente, como se ainda não tivesse se dado conta, ele apontou para a neta, era a primeira vez que a via. Ela ficou olhando para os dois, seu pai e sua filha, pensando em coisas óbvias demais, simples demais, coisas que lhe davam a certeza de que voltar tinha sido a melhor escolha.

Sentiu uma mão lhe tocar o ombro, era o conhecido com quem conversara havia pouco se despedindo: vá dar uma olhada, talvez suas malas já tenham chegado. Ela se desconcertou, sentia-se zonza. Ai, que bom, suspirou, vou lá ver então. E desejaram boa sorte um ao outro, felicidades. Enquanto tirava a bagagem da esteira, não pensava em outra coisa, queria sair de lá correndo e abraçar o pai, sem se incomodar com o tumulto que a aguardava, os flashes, os amigos querendo saber como ela estava, a filha passando de colo em colo. Queria apenas sentir que havia chegado.

Você não vai acreditar onde estive hoje. [Onde?] Passeando pela Praça do Rossio, de repente vi, em letras encarnadas e grandes, o nome Pastelaria Suíça. [Não pode ser! Você foi à Pastelaria Suíça?] Pois é, você falava tanto dos doces de ovos desse lugar, que o nome ficou gravado na minha memória. Não acreditei quando, sem querer, me deparei com a grande esplanada, cheia de mesinhas e garçons passando com bandejas fartas de guloseimas. [Eu adorava sentar numa dessas mesas e tomar um café bem forte com algum doce. Cada dia escolhia um diferente.] É aqui, pensei, é esse o lugar do qual a minha mãe sempre falava. [E como poderia não falar? Lembro como se fosse hoje: a sua avó tinha morrido em outubro de 77. Em junho de 78, numa tarde ensolarada de primavera, luz radiante, a Praça do Rossio repleta de pessoas, nervosamente entrei na Farmácia Estácio para pegar o resultado do teste de gravidez. "Positivo", indicava. "Está grávida", afirmava o papelzinho com todas as letras. Pulei, ri sozinha, não cabia em mim. Nunca o Rossio exibiu-se tão lindo. Uma resposta de vida. Fui comemorar na Pastelaria, onde comi até não poder mais.] E foi exatamente o que fiz, sentei numa mesa ao ar livre, em pleno burburinho da praça, dos turistas, da gente que passeava ou se apressava por qualquer razão. E pedi dois doces de ovos: um para mim, outro para você.

Não sei se nos encontramos alguma vez, se houve algum momento em que pudemos dizer que o amor entre nós existia como certeza e felicidade, ou se apenas perambulamos um pela vida do outro como os personagens embaçados de um certo cineasta chinês que mostra o amor como impossibilidade. Toda vez que vejo seus filmes, penso em nós, no nosso amor impossível, no nosso amor irrealizado apesar dos anos juntos, e me pergunto se haveria alguma chance de ter sido de outra maneira, ou se a força do nosso amor não estava justamente na sua impossibilidade. Nas vezes em que nos abraçávamos e recaía sobre meu peito a dor de uma certeza: você não era meu. Nas vezes em que fazíamos amor e, mesmo gozando juntos, eu sentia que não era um com o outro, que a distância entre nós não era um vão, mas um abismo. Como se eu pegasse a sua mão e você não tivesse mão, como se eu quisesse me declarar e você não tivesse ouvidos. Ainda que morássemos na mesma casa, que dividíssemos a mesma cama, que fizéssemos tantas e tantas coisas juntos, era como se entre nós houvesse uma faca afiada nas duas extremidades, afirmando que para nos aproximarmos teríamos de nos rasgar ao mesmo tempo no único abraço possível: o abraço da morte suja de sangue.

Perguntei-lhe pelo cavalo branco, ele disse não ter nenhum. E a roupa de príncipe? Também não tenho. E o nome de príncipe? Também não. Tem um buquê de flores então? Tampouco o tenho. Mas isso é fácil de resolver, espera um bocadinho. Quando voltou, trazia escondido atrás do corpo um buquê de flores do campo, de cores variadas, de cheiro bom. Com as duas mãos para trás, pediu-me: escolhe uma. A esquerda, eu arrisquei. E esticando a direita, ele disse: toma, é para ti. Eram lindas, as flores. Eu sorri: sorri muito, de verdade. Ele pegou o buquê da minha mão e o repousou cuidadosamente no chão, ao nosso lado. Então nos beijamos: um beijo terno, doce. E depois tivemos de ir embora, de mãos dadas, eu e ele, sabendo que não éramos eternos, que não éramos príncipe e princesa, mas que nossos lábios se entendiam, que as nossas bocas finas levemente coladas uma à outra eram feito amor de príncipe e princesa. Eram, talvez, o amor.

Tenho certeza que me compreenderá. Você esteve sempre ao meu lado e conhece bem os meus passos. Nossas mãos caminharam dadas até aqui, e tenho as minhas molhadas pelo seu suor. Faremos tudo com calma, muita calma. Olhe para mim, nos meus olhos, agora sou eu quem lhe diz: não tenha medo. Acaricio o seu rosto com a minha mão livre. Sinto que você me aperta a outra. Não tenha medo, repito. Você não diz nada, tem os olhos cheios d'água, como costumam ser os olhos de quem se despede. Estamos no quarto. Você olha à sua volta, e eu não tiro os olhos de você. Não quero me esquecer de nada, de nem um detalhe sequer, mesmo sabendo que um dia me esquecerei, que um dia não saberei mais precisar o tamanho do seu nariz, o contorno da sua boca, a espessura dos seus cabelos. Mesmo sabendo que um dia precisarei de uma fotografia para me lembrar das pequenas coisas. Eu lhe agradeço uma última vez e prometo manter viva a sua memória. Também tenho os olhos cheios d'água. Mas já não tenho medo, tenho algumas certezas. Delicadamente, vou desgarrando a sua mão da minha. Olhamo-nos. Sofremo-nos. Amamo-nos. Sinto um leve alívio quando nossas mãos se separam. Digo: espere. Com mais delicadeza ainda, retiro seu anel e o coloco em meu dedo. Você sorri, aprovando meu gesto. Digo que saberei tomar conta dele, da mesma maneira que um dia você tomou conta de mim. Você alarga o sorriso. Eu a tomo em meus braços e, juntas, deitamos aos poucos na cama. Arrumo seu corpo para que se sinta confortável e escorrego a mão por seus cabelos, seu rosto. Passo a mão sobre seus olhos e você me entende, você os fecha. Beijo-a forte uma última vez. Em seguida, seguro as duas pontas do lençol enroscado ao pé da cama e puxo-o para cima de você, cobrindo-a inteiramente, fosse um sudário.

Não sei quantas taças de vinho havíamos bebido. Estávamos sem roupa havia muitas horas: nuinhos, como ele gosta de dizer. Esparramados no chão na cama no sofá. Falando de coisas sem importância, coisas muito importantes. Tocando o corpo um do outro suavemente, sem pressa. Sabíamos, os dois, da eternidade das horas que passavam. Perguntei-lhe: então, vem você morar no Rio ou venho eu para Lisboa? E rimos, os dois, rimos muito, gargalhamos. Também sabíamos da brevidade do tempo, o que nos permitia brincar como dois meninos, dois adolescentes que fazem planos mesmo quando têm a certeza de que nunca se realizarão. Façamos o seguinte, ele disse: passamos uma semana em cada cidade. Todo domingo à noite, vamos ao aeroporto e mudamos de continente. Assim não precisamos nos desfazer de nada, mantemos as duas casas, acho que é o mais justo. E o mais divertido, acrescentei. Rimos de novo e bebemos mais vinho e demos mais beijos e fizemos mais carinhos e traçamos mais planos e nos encontramos mais e nos perdemos mais e fomos mais e mais felizes. De tão feliz, eu sentia o peito apertar, uma dor que eu não sabia existir quando se tratava de felicidade.

Preciso falar com você, eu disse. Fale. Venha aqui, respondi, o que tenho para dizer é sério. Você se sentou ao meu lado no sofá. Segurei a sua mão e comecei a discorrer, num rompante, tudo o que havia planejado e decorado fazia mais de uma semana. Falava sem pausas, sem lhe deixar qualquer brecha para me interromper. Você sabe o quanto eu te amo o quanto você é importante para mim tudo o que me ensinou tudo o que aprendi com você você sabe bem que me apaixonei desde o primeiro instante que seu olhar me capturou você sabe melhor do que ninguém que nenhum homem antes havia me dado tanto prazer você sabe o quanto o admiro o quanto respeito a pessoa linda que você é você sabe que pode e sempre poderá contar comigo porque você é e sempre será muito especial para mim você sabe que sempre haverá um espaço para você no meu coração você sabe disso tudo de todo o meu sentimento por você o meu amor por você e por isso acho que você vai entender claro que você vai entender você também deve pensar a mesma coisa que eu você deve concordar comigo não é meu amor você também deve pensar como eu que apesar de todo o amor que sentimos um pelo outro infelizmente não dá mais nunca conseguiremos ser felizes talvez porque o nosso amor seja grande demais não sei talvez porque sejamos pequenos demais para suportar tanto amor talvez ele não caiba em nós por isso tenho a certeza de que você também quer isso você também quer a separação assim como eu você também deve achar que precisamos nos afastar para dar uma chance a nós mesmos para cicatrizar as feridas e sermos felizes ainda que distantes um do outro ainda que impossibilitados de viver o nosso amor. Você me mostrou um sorriso sarcástico, era evidente que não me entregaria de bandeja o que era inteiramente seu. Nunca assumiria uma derrota. Você não disse uma palavra sequer. Simplesmente arrancou a minha blusa e me empurrou com força no sofá, obrigando-me a esticar o corpo. Arrancou-me a calcinha com movimentos bruscos e penetrou imediatamente seu dedo no meu sexo seco. No meu rosto, apenas terror. No meu corpo, a impossibilidade de movimento. Eu já tinha esgotado as minhas forças, e você sabia disso. Você se aproveitava disso. Abaixou o short e ali mesmo, naquele sofá onde outras vezes nos amamos, deitou-se em cima de mim. Eu estava abandonada, entregue à sua vontade, feito me culpasse pelo que acabara de falar. Tinha o sexo áspero, e nem a sua saliva era capaz de umedecê-lo. Você se rejubilava com a minha dor. Você me perguntou: então, não é bom? Não respondi. Não é bom?, você insistiu. Permaneci muda. Não é bom? Não, eu disse, finalmente. Então, como que para calar a minha resposta, você saiu de dentro de mim e me penetrou a boca com uma violência ríspida, eu quase sem conseguir respirar. Você me penetrou a boca até gozar e só retirou seu sexo quando teve a confirmação de que eu já havia engolido tudo. Depois me segurou o rosto com força e, com o olhar transbordando ironia, afirmou: está vendo como podemos ser felizes juntos?

Estávamos juntos havia quatro dias quando ele me perguntou: mas, afinal, por que estás aqui? Era de manhã e tínhamos acabado de tomar café. Do lado de fora estava cinza. Era a primeira vez que eu via Lisboa sem sol. Pouco tempo antes, quando havia saído para comprar pão e doces portugueses (gosto tanto que sou capaz de devorá-los mesmo de manhã: barriga de freira, pastel de nata, guardanapo, travesseiro, ninho de ovos, entre tantos outros), estranhara a pouca luminosidade na cidade. Está feio o tempo hoje, não?, comentei com o padeiro, que me respondeu que gostava imenso de dias nublados. Saí de lá com um pacote repleto de delícias e fui recebida de volta com um largo sorriso.

Levantei da mesa e deitei no sofá para responder à sua pergunta. Enrolando os cachos do cabelo, contei-lhe tudo: da minha paralisia, do meu corpo doente, da chave que meu avô me dera. Contei-lhe que tinha ido à Turquia e que agora estava em Portugal atrás do meu passado. Disse-lhe que precisava acertar as contas de gerações anteriores, acertar as minhas contas. Nasci aqui em Lisboa, sabia? Não! É verdade ou estás a gozar? É verdade, disse-lhe sorrindo. Nasci em janeiro de 79 e fui para o Brasil em setembro. Mas guardei o sotaque lisboeta, não percebes? Ele me olhou torto e veio me fazer cosquinhas, me dar beijinhos: então és alfacinha? Sim, eu disse, uma verdadeira alfacinha. Tenho até o passaporte, quer ver? Passe a minha bolsa, por favor. Tirei o passaporte e mostrei-lhe. Está vendo? Ele o folheou, descobriu a minha foto monstruosa — como quase todas as fotos de passaporte — e leu em voz alta: Local de nascimento: São Domingos de Benfica, Lisboa. Então é mesmo verdade, ele disse. Sim, respondi, mas agora me deixe terminar de contar a história. Perguntou, agora escute.

Então, continuei a lhe contar. Contei como tinha sido a viagem à Turquia, as pessoas que tinha encontrado, a casa que não estava mais lá. Contei que tinha feito esse percurso para tentar sair do lugar, porque havia muito eu não me levantava da cama, no Brasil. Contei também da morte da minha mãe, da dor, do luto. Disse-lhe que falo com ela ainda hoje. Falo com os mortos, afirmei, com os mortos que me acompanham. E depois contei do amor que me matou: um dia eu amei um homem, e esse homem me matou. Contei da violência, dos rasgos que ele fez na minha carne, e mostrei as marcas, as cicatrizes todas. E disse: se o amor é isso, prefiro não amar. Então ele me abraçou, deitou ao meu lado no sofá, e ficamos os dois agarrados, espremidos num espaço menor do que os nossos corpos juntos. E, enrolando os cachos do meu cabelo, ele disse: não, o amor não é isso. Não tenhas medo.

Você devia estar dormindo há algumas horas. Eu escutava seu ronco, o que me dava ainda mais coragem para fazer aquilo que já não podia esperar. Meu corpo tremia, mas meu coração estava seguro. Levantei-me da cama com todo o cuidado para não acordá-lo. Fui à cozinha, e quando voltei seu corpo estava virado para o outro lado. Tive receio de que tivesse acordado. Sussurrei seu nome, mas você não respondeu. Aproximei meu corpo do seu e pensei que você era bonito enquanto dormia. Seu corpo nu enrolado em si mesmo me dava uma serenidade que seu corpo acordado não tinha. Você era branco, branco, e seus pelos eram apenas uma leve penugem que acariciava sua pele macia. Suas mãos pareciam mãos de bebê, e de repente senti uma enorme vontade de segurá-las, mas tive medo que você acordasse. Passei muitos dias me perguntando se o que sentia por você era amor. Olhando seu corpo em cima da cama pensei que sim, de alguma maneira eu o amava. E foi com esse sentimento que, muito delicadamente, virei seu corpo, a barriga para cima. Você grunhiu algo incompreensível, mas logo em seguida retomou o sono profundo. Estava quente, mas não muito. Estiquei seus braços e suas pernas. De leve, toquei no seu rosto e encostei meus lábios nos seus. Sussurrei seu nome novamente, mas você não respondeu. Tive uma certeza que nunca antes tivera, e meu corpo não tremia mais. Segurei as duas pontas do lençol enroscado ao pé da cama e puxei-o para cima de você, cobrindo-o inteiramente, fosse um sudário. Em seguida, peguei a faca que havia buscado na cozinha e, segurando-a com as duas mãos, atravessei seu ventre. Senti o metal rasgando sua pele macia, perfurando a carne, o estômago. Senti o metal roçando os ossos da sua costela, e então larguei a faca. Você deu um grito de dor e levantou a cabeça, descobrindo a parte de cima do lençol. Você tinha os olhos abertos. Nossos olhos se encontraram pela última vez, e então pude ver a raiva, o medo e a derrota estampados em seu rosto. Em seguida, vi sua cabeça pendendo para o lado e seus olhos se fechando para sempre. Alarguei o olhar e vi o quarto inteiro, vi todos os objetos que um dia tinham sido nossos. No centro da imagem, a nossa cama. Do lado esquerdo da cama, seu corpo branco coberto por um lençol branco. No centro do seu corpo, a faca com a qual eu rasgara a sua pele. No centro do seu corpo, o seu corpo era vermelho, o lençol era vermelho. E era esse vermelho que me reforçava a certeza, que me garantia não haver outro final possível para a nossa história.

Se não te incomodas, prefiro não te levar ao aeroporto. Por quê? Você também não gosta de se despedir, é isso? Odeio despedidas, ele respondeu. Prefiro ficar com a lembrança do que vivemos cá e com a certeza de que um dia nos reencontraremos. Você acha? Ele tinha o sorriso confiante quando me disse: verás que sim. Está bem, então não me leve, mas você fica comigo até o último momento? Ele respondeu me dando um abraço longo e muitos beijinhos pequeninos. Eu estava ansiosa: mais uma despedida para encarar. Vim a Portugal desfazer velhos laços e acabei fazendo novos, e agora teria de dizer adeus novamente. Mas, enfim, se ele tinha certeza de que nos reencontraríamos, eu tentava não pensar no avião que me aguardava. Eu gostava de um dia morar no Rio, ele falou. E eu em Lisboa. Então podemos trocar de casa? Rimos. Mas podemos também coincidir um bocadinho, não é? Sim, claro, respondi. E depois engatei: você ainda tem um vinho alentejano aí? Tenho, queres? Quero. Podemos beber uma garrafa até a hora de ir ao aeroporto, não?

Ele pegou duas garrafas. Abriu uma e, segurando a outra, disse: toma, abre no Brasil e pensa em mim quando tomares. Agradeci, você é um amor. Tu é que és. E começamos a brincar: meu docinho de coco. Meu pastel de Belém. Meu chuchuzinho. Meu ninho de ovos. Até o momento em que ficamos sem roupa, e aí já não dizíamos nada. Tínhamos a mesma graça e a mesma leveza: não nas palavras, mas nos gestos. Fazíamos amor como se brincássemos, estávamos sempre a inventar novas coisas, a nos deliciar a cada toque — de mãos, línguas, sexos, pelos, peles, narizes, queixos, olhos, pestanas. Havia algo de especial quando estávamos juntos, talvez essa leveza pueril: podíamos ser crianças sem medo, ser crianças sendo muito velhos. E foi o que fizemos nas nossas últimas horas juntos. Bebemos as duas garrafas de vinho (e agora, como vou fazer para me lembrar de você no Brasil?), rimos, fizemos amor, gozamos um do outro, um com o outro, até que, lutando contra a minha vontade, tive de dizer: acho melhor chamar o táxi, senão vou acabar perdendo o avião. Então fomos tomados por uma certa seriedade, enquanto ele procurava o número de telefone e eu me vestia.

Quinze minutos, ele disse. Torci o nariz: por que tão rápido? Porque os serviços em Portugal funcionam, ele respondeu, rindo de si mesmo. Foi apenas o tempo de eu terminar de me vestir, pegar as malas e lhe dar um abraço apertado e alguns beijos molhados. E deslizar a mão pelo seu rosto algumas vezes. E olhar dentro de seus olhos verdes e sentir os meus ardendo. E dizer: tenho muito carinho por você. E ouvir: também tenho muito carinho por ti. E de sentir suas mãos atravessando meus cabelos, brincando de fazer cachos. E dizer adeus, até logo, até breve, breve.

Ficamos nos olhando até o táxi partir, mesmo depois de o táxi ter partido. Eu tinha o coração cheio de alegria, mas também com um pouco de tristeza. Minha cabeça martelava: por que, quando é bom, não pode dar certo? E depois era eu mesma quem me dizia: pare de pensar assim, já foi bom e já deu certo. Fiquei desse jeito, oscilando entre pensamentos bons e ruins, durante algum tempo. Até me lembrar da frase que um amigo meu sempre dizia: amor não é para guardar, mas para espalhar. Quando lhe contava minhas histórias e depois falava dos meus sonhos de príncipe e princesa, ele sempre afirmava: mas você não é mulher de um amor só, você tem que amar muitas vezes, espalhar essa sua capacidade de amar por aí. Pensei que se lhe contasse esta história ele certamente se exaltaria: não disse? Pense que agora você tem um pouquinho de amor em Lisboa, em mais uma cidade. E uma cidade tão especial para você. Enquanto meus pensamentos reviravam com essas ideias todas, ouvi meu celular apitar: nova mensagem. No cabeçalho, o nome dele, e logo abaixo o texto: acho que tenho toda a ternura e todo o carinho dentro do peito. Obrigado por existires. Beijinhos.

E assim pude partir em paz, voltar para o Brasil com a certeza de que a minha relação com Portugal não era mais uma relação com o passado, nem do passado.

Meu avô entra no quarto reclamando do cheiro acre e perguntando se estou pronta para a viagem. Uma luz serena entra pelas frestas da persiana, anunciando que o sol se porá em breve. Penso que mais um dia termina e que os dias terminando parecem um único e mesmo dia. Olho ao meu redor, enquanto meu avô fala e aguarda uma resposta, e me digo em silêncio que preciso botar o cobertor para lavar, tirar as roupas do chão e o mofo das paredes. Estou enojada do meu próprio casulo.

Ele insiste, quer saber se estou pronta ou não. Chamo-o para perto e, receoso, ele se senta ao meu lado. Vejo o quanto está envelhecido e pela primeira vez penso que não há diferença entre seu rosto e suas mãos, são todos a mesma pele murcha. Sem me levantar, pego a caixinha na mesa de cabeceira. Dentro dela, em meio a pó, bilhetes velhos, moedas e brincos, descansa a chave. Ele estica o olhar e vê o mesmo que eu. Ele me encara, e já não preciso dizer nada. Pego a chave, assopro a poeira em que está mergulhada e, esticando o braço, alcanço a mão do meu avô. Seguro-a com força, e permanecemos com as mãos coladas, a chave entre nosso suor, selando e separando as nossas histórias.

Este livro foi composto na tipologia
ClassGaramond, em corpo 11/15, e impresso
em papel off-white 90g/m² no Sistema Cameron
da Divisão Gráfica da Distribuidora Record.